自分らしく生きる

フィンランドが教えてくれた100の大切なこと

島塚絵里

はじめに

今から16年前、20代後半だった頃、この先にどんな冒険が待っていて、どんな道に進むのか、何もわからないまま、フィンランドの地に飛び込みました。

「生きていれば、すべてのことがあなたを強くする」「少しずつ少しずつ」「すべてうまくいく」。道の途中、色々な言葉に励まされてきました。そして、背中を押してくれた人、一緒に歩んでくれた人、別れを選んだ人、近くや遠くで見守ってくれた人がいたから、今があります。

2022年に出版した『フィンランドで気づいた小さな幸せ365日』という本では、日々のことを徒然なるままに綴ったのですが、今回の本では、フィンランドでの気づきや、教わった考え方を中心に書いています。私たちの誰もが自分の物語を生きています。布でたとえるならば、自分の命という縦糸に、様々な出会いや経験という名の横糸を織り込んで、世界にたった一つしかない物語を織っているのです。今まで少しずつ貯めてきた自分らしく生きるための知恵を書き留めたこの本は、不安や焦る気持ちでいっぱいだった、若かりし頃の自分に向けた手紙でもあり、私を含め、自分らしく生きようとするすべての人への応援歌でもあります。この本を読んで、春の日差しを浴びたように、心がぽかぽかしてくれたらうれしいです。

島塚絵里

Contents

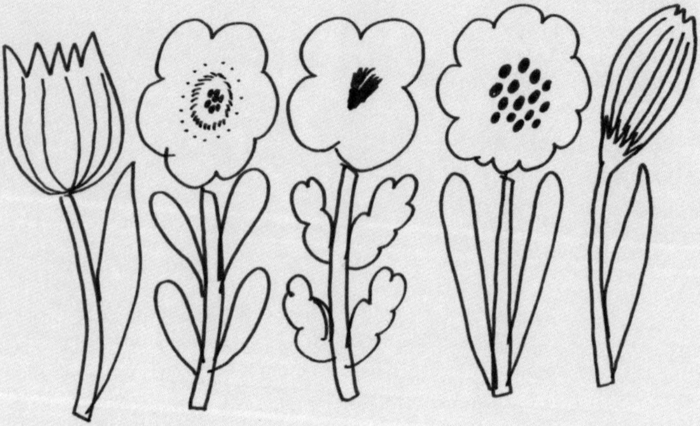

1／自然が教えてくれたこと

長い冬を
乗り越える

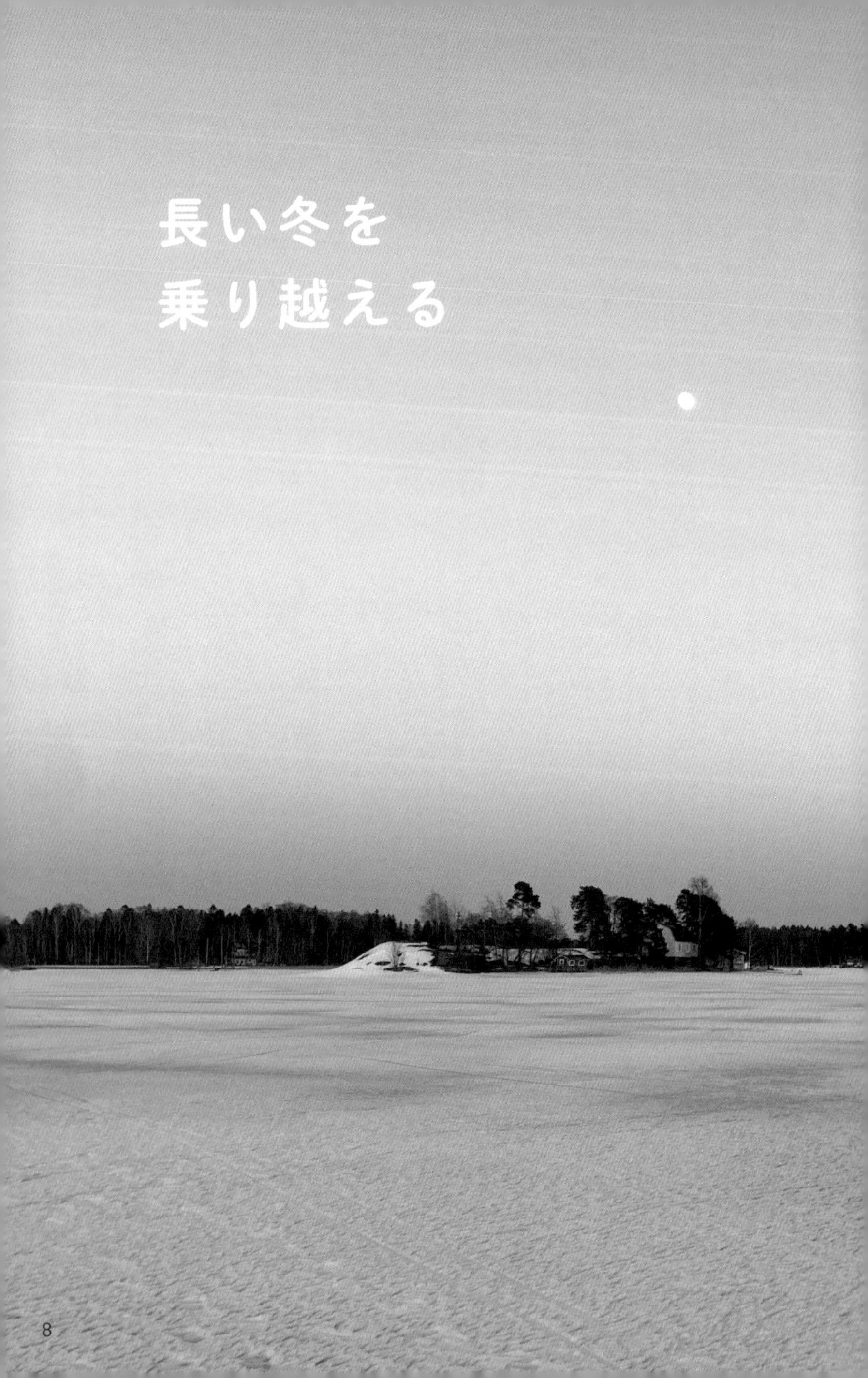

この本は、暗い冬の間に書き進めました。家で一人ぼっちで、じっと作業している日々が続くので、改めて冬の暗さを骨の髄まで味わいました。2月の頭、ようやく太陽の姿を見た時には、思わず拝みたくなるほどでした。フィンランドは幸福度が世界一高い国に6年連続で輝いているけれど、ほんわかした楽園では全くありません。仕事もなかなかないし、アルコール依存の問題もあるし、自殺率も高いし、冬がとにかく長くて太陽が長期間見られない。なかなかダークな面も抱えている国なのです。それでも、幸福度が高いのは、しっかり地に足をつけて、そういった問題を克服する知恵をたくさん持っているからなのではないかと、ふと思いました。
生きていたら、必ず問題や課題にぶち当たります。それをうまく乗り越える術を、毎年必ずやって来る暗い季節を経験している人たちなので、知恵として蓄えているのではないかと思うのです。冬のつらさを克服する方法を振り返っていて、これは気分が落ち込んだ時や苦しい時の対処法やリセット法でもあることに気づきました。

長い冬を乗り越える方法

・南国の音楽を聴く

・晴れた日には外に出る

・ろうそくに火を灯し、暗闇を楽しむ

・温かい飲み物を飲んでゆっくり過ごす

・アフリカンダンスを踊る

・ホットヨガをする

・友人をお家に呼んでご飯会

・アイススイミングにでかける

- 季節限定のスイーツを食べる
- 本を読む
- サウナで温まる
- ウィンタースポーツにトライ
- ビタミンDを摂る
- 睡眠をよくとる
- 朝はストレッチをして目を覚ます
- 太陽を求めて、海外を旅する

そうこうしているうちに、気づいたら光の季節が始まります。

静けさを楽しむ

初めて手がけた絵本、『きつねと静けさ』（文・レーッタ・ニエメラ）は音に繊細なきつねが主人公の物語です。きつねはどんどん音から逃れるように穴を深く掘っていくのですが、ある日、自分で静けさを探しに行けばいいことに気がつき、自ら静けさを探しにでかけます。フィンランドでは静けさが大事にされていて、静けさを好むきつねという設定自体がなんだかフィンランド人らしいなと思います。例えば、森は静かに過ごす場所とされているので、子供たちにも森をリスペクトするため、大きな声は出さないように教えます。森にステレオを持って来て、音楽を聴きながらピクニックしている外国人留学生たちに出会ったことがありますが、かなりレアなケース。フィンランドではパワースポットという言葉が定着していないのですが、森が日本の神社やお寺のような神聖な場所のように感じます。忙しない日常でも、心を落ち着かせ、自分の呼吸に耳を傾け、静けさを楽しむ時間ってとても大事だなとフィンランドに暮らすようになってから気づきました。

インスピレーションは意外と近くにある

テキスタイルデザインの図案を考える時、だいたい大まかに頭に思い浮かぶモチーフを書き出します。春夏のデザインならば、フィンランドの春と夏に想いを寄せて、思いついたまま書き出します。その後、スケッチを始めるのですが、デザインのモチーフは日常生活に隠れていることが多いのです。例えば、夏がテーマなら森、市場、野の花、いちご、湖、夏小屋……といった具合です。暮らしはアイデアの宝庫。耳を澄まして周りをよーく観察してみると、インスピレーションは意外と身近に隠れていることに気がつきました。

そうだ、森へ行こう！

フィンランドに移住してから、森に行くのが大好きになりました。ヘルシンキの近くにも国立公園がいくつかあり、夏になると月に1、2回は家族ででかけます。夏にはベリー摘み、秋にはキノコ探しをしながら、森を散策。小腹が減ったら、ソーセージを焼くのが定番です。森の散策コースには、火を焚く場所があり、そこで見知らぬ人と火を分け合って、焼くのです。お腹もいっぱいになって、小高い丘に熊のようにごろんと寝っ転がって、風になびく木々を見ていると、小さな悩みも吹っ飛んでしまいます。フィンランドの人にとって、森はエネルギーをチャージできる場所。『Anna』という雑誌によると、森に行くと、気持ちが落ち着き、ストレスが軽減し、血圧が下がり、免疫が上がるという効果も期待できるのだそう。家に帰って、ふとジャケットに残った焚き火のスモーキーな香りをかぐと、楽しかった森の記憶が蘇ります。

花を摘む

夏が来ると、野の花を摘むようになりました。随分前に、湖水地方にある貸しコテージに到着した際、キッチンのテーブルの上に色とりどりの野に咲く花が私たちを迎えてくれたのです。ビンテージの花瓶にさりげなく飾ってあった様子が本当に美しくて、オーナーのおもてなしを感じました。野の花には、栽培したお花とはまた別のよさがあるように思います。長い冬を越えて、やっとこの地に花を咲かせたという喜びが宿っているようです。けっして派手ではないのですが、謙虚で美しいのです。以来、私も夏になると、野の花を摘んで、部屋に飾るようになりました。

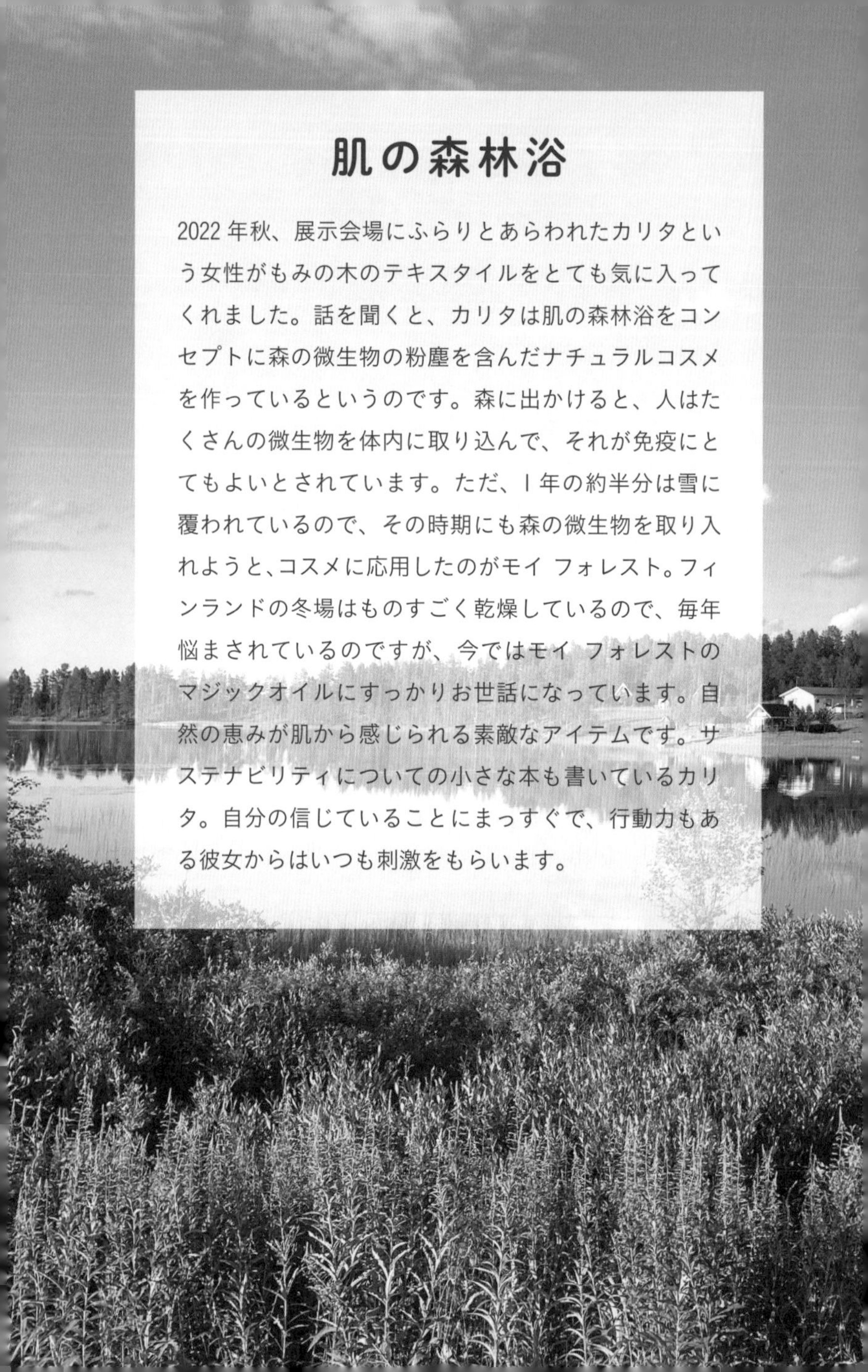

肌の森林浴

2022 年秋、展示会場にふらりとあらわれたカリタという女性がもみの木のテキスタイルをとても気に入ってくれました。話を聞くと、カリタは肌の森林浴をコンセプトに森の微生物の粉塵を含んだナチュラルコスメを作っているというのです。森に出かけると、人はたくさんの微生物を体内に取り込んで、それが免疫にとてもよいとされています。ただ、1 年の約半分は雪に覆われているので、その時期にも森の微生物を取り入れようと、コスメに応用したのがモイ フォレスト。フィンランドの冬場はものすごく乾燥しているので、毎年悩まされているのですが、今ではモイ フォレストのマジックオイルにすっかりお世話になっています。自然の恵みが肌から感じられる素敵なアイテムです。サステナビリティについての小さな本も書いているカリタ。自分の信じていることにまっすぐで、行動力もある彼女からはいつも刺激をもらいます。

不便さを楽しむ

夏になると、ラップランドの小さな村にある夏小屋をレンタルします。だいたい、1週間くらい滞在するのですが、数年前から毎年恒例の行事になっています。その夏小屋には電気はないので、より暮らしがシンプルになり、時間の流れが変わります。毎日夕方になるとサウナに火をつけて、体を温め、湖で泳ぎ、体を清めます。森の中の夏小屋は本当に静か。時々、トナカイが訪れることも。そんな時は、夏小屋で息を潜めて、トナカイの様子を見守ります。大自然の中でのんびり過ごすと、心も体も元気になっていくのを感じます。電気のない夏小屋はキャンプに近いものがあります。都会の便利さから離れ、ある意味、自然に寄り添う原始的な暮らしに立ち戻ることは、どんどん便利になっていく世界だからこそ、大事にしたいとふと思いました。

40

身近な自然をいただく

東京生まれの私は、３年間暮らした沖縄で、自然の恵みをいただくことの楽しさを知りました。素潜りをして、貝や海藻を採ったりするのが好きでした。採るものは変わったけれど、フィンランドではブルーベリー、コケモモ、キノコを採りに森に出かけます。自分で採った食べ物を調理して食べると、なんだかすごく元気が出ます。自然の恵みに感謝するようになりますし、雨が降っている時は、今ごろ森でキノコが生えているのかなあと想像したりして、自然がますます身近になります。人間も自然の一部だということを思い出させてくれるのです。

大自然の中でサウナ

色々なサウナの楽しみ方がありますが、私が一番好きなのは大自然に囲まれたコテージでのサウナタイム。毎年ラップランドの小さな村にある夏小屋をレンタルして、1週間ほど過ごすのですが、そこの小屋には電気がないので、昔ながらの方法で便利とは逆の暮らしをあえて楽しみます。サウナに入りたくてもすぐには入れません。なんでも下準備が大事で、まずは薪をわり、水を湖から大きなバケツがいっぱいになるまで、何回も汲みに行きます。下準備が整ったら、マッチに火をつけて、小さな薪に火をつけます。サウナが温まるまで、1時間くらいかかるのですが、その間は薪を足したりしながら、気長に待ちます。ラップランドの夏は白夜。夕暮れになるまで、心と体が満たされるまで、ゆっくりサウナに入ったり、湖で泳いだりして過ごします。たくさん汗をかいて、湖の水で清らかになる。日常から解放され、最高のデトックスなのです。

2／小さな幸せ探し

今日あった
いいこと

娘がふと寝る前に、「今日あった一番いいことなんだった？」と聞きました。「そうだなあ、なんだろう……。」1日を振り返ってみますが、すぐには思い浮かばず、「あいらはなんだった？」との問いに、「ママ！」と答えました。なんだかうれしくて、心がじんわりと温まりました。

どんな小さなことでもいいので、寝る前にその日にあったよいことを思い出してから眠りにつくのは、1日の終わりの素敵な儀式かもしれません。

ラップランドのラヌアという町に、「Japanitalo (日本の家)」という文化施設があります。切り盛りしているのは、日本の児童文学の研究者でもあるトゥイヤ。日本語が流暢なトゥイヤに、2022年に書き下ろした『フィンランドで気づいた小さな幸せ365日』というエッセイ本をプレゼントしたのですが、先日メッセージが届きました。そこには、「今あなたが書いた本を読んでいますが、とてもあたたかくかいているからこころがあたたかくなりました。じぶんもいちにちいちにちをもっとたいせつにしなければと思いました。ありがとうございました」と書いてあり、私もなんだか心がぽかぽかと温まりました。トゥイヤさん曰く、当たり前すぎて、気づかなかったこともたくさんあったのだそうです。ないものばかりに目がいって、追い求めてしまいますが、あるものは案外見落としがち。あるものに感謝することは、気持ちよく日々を過ごす秘訣かもしれません。

あるものは見落としがち

ハッピーにも色々ある

フィンランドが世界で一番幸せの国という話をすると、フィンランドの人はどうしてだろうと不思議に思うようです。フィンランドの人は見るからにハッピーという人ばかりではありません。実は、フィンランド語では、Happyの意味を表す単語が二つあります。一つは「iloinen」(イロイネン)、もう一つは「onnellinen」(オンネリネン)です。イロイネンは「わあ、うれしい」という一時的な気分の高揚を表しますが、オンネリネンは心が満たされた状態、今あることに感謝するという満足感を意味します。

この幸福度ランキングはOnnellisuustukimus(幸福度調査)と呼ばれていることに気づき、心のもやもやが晴れました。弱者に優しい社会の仕組みだったり、誰もが学べるように義務教育や高等教育が無償だったり、そういった仕組みが人々に安心感を与えます。性別に関係なく、自立した人々が自分の生きる道を選ぶことができる社会は、それなりに厳しさも伴いますが、とても心地がよいです。そういったことが人の心を満たしているのだと気づき、腑に落ちました。

日本のいいとこ

日本でトークイベントをした時に、「日本のいいところはありますか？」との質問があり、数え切れないほどあるので答えるのが難しかったのを覚えています。あえて、一つあげるとしたら、多様な自然と文化でしょうか。一度、ヘルシンキからロバニエミまで、約700キロの距離を日中の電車に乗って移動したのですが、ほぼ風景が変わらなかったことに驚愕しました。日本は地形的にも南北に細長いので、北は北海道から南は沖縄まで、全く異なる自然や風景が広がります。それぞれの土地には、その土地ならではの文化があり、食材も豊かです。私と出会う前から何度も日本を訪れ、日本が大好きな夫に、日本のいいところを聞いてみたところ、やはりたくさんありました。私も日本を離れてみて、今までは当たり前すぎて気がつかなかった日本のよさがよく見えるようになりました。日本に興味を持ってくれている人もたくさんいるので、日本のよさが伝えられるように、改めて日本のことをもっと知りたいなと思う今日この頃です。

- 豊富な食材（海の幸、山の幸）
- 美しい四季と風景（北は北海道から南は沖縄まで、多様な自然）
- 伝統建築と現代建築
- 独特な文化
- 公共機関の充実（遅延が少ない）
- 温泉文化（日本各地にある）
- 仕事が丁寧
- 勤勉で信頼できる
- 自然への敬意
- 美への追求
- 治安がよい
- 親切な人が多い
（道に迷っていたら、必ず誰かが助けてくれる）

恋しさとの
つきあい方

日本が恋しくなることは？　と時々聞かれます。シンプルに「友達、家族、食べ物」と答えていますが、本当はもっともっとたくさんあります。例えば、10月の誕生日近くになると、金木犀の香りがかぎたくなったり、まだフィンランドが雪に覆われている3月には桜を愛でたくなります。人間、どこに暮らしていても、何かそこにはない人やものを恋しく思う習性があるのかもしれないですね。でも、手に入らないものばかりを考えていても、目の前の小さな幸せをうっかり見逃してしまいますので、恋しさとはほどほどにつきあいたいものです。でも、どうしようもなく恋しさが募ったら、それを小さな夢に仕立てて、叶える計画を立てて、実行するのもいいですね。いつか、誕生日に金木犀の香りを思いっきり吸いこみたいな。恋しくなるものって、その人らしさやその人の生い立ちや生きてきた道を象徴する愛しきものですね。

ホームシックには
ポッドキャスト

コロナで、なかなか日本に帰国できなかったので、ホームシックになりかけていました。そんな中、散歩している時に日本のポッドキャストを聴くようになりました。肉声から入る情報は肌感覚に近いというか、自分が日本にいるような感覚になるから不思議です。ラジオのようなポッドキャストは、ホームシックを少し和らげてくれたように思います。お気に入りの番組はピーター・バラカンさんの「The Lifestyle MUSEUM」と茂木健一郎さんの「Dream HEART」。色んな分野の方々のお話が聞けて、丸くなった背中をしゃんとしたくなります。ひょんなことから、Artistspokenの「世界のお宅から」というポッドキャストで1年間フィンランドの暮らしや情報を発信しました。コロナ禍で人々の行き来が難しくなってしまったということで、週に一度録音して、旬の情報や暮らしのことを気ままに話していました。慣れないことで、ドキドキしましたが、届ける側の経験もできてよかったです。声だけによる情報は映像がない分、逆に気づきがあったり、想像力を刺激されるような側面もあります。これからも日本のポッドキャストを聴いて、日本を近くに感じていたいなと思います。

趣味多き人生

フィンランドでは、多趣味な人が多いことに驚かされます。水泳、音楽教室、サーカス、アイスホッケー、建築、サッカー、バレエ。子供の習い事の種類も山ほどあります。子供の頃の色々な習い事を通して、自分の好きなことや得意なことを見つけていきます。そして､それは大人になってもずっと続きます。子供がいる家庭では、子供の面倒を交代でみながら、自分の好きなことをする時間を作ります。子供の頃の趣味をずっと続けている人もいれば、新しい趣味を楽しむ人も。親戚のペンッティは定年後、語学や楽器など、毎年何かしら新しい趣味にチャレンジしていたといいます。誰もが好きなことに没頭できる時間を持てるのは幸せなことですね。

「ない」から生み出す

夏休みにラップランドを旅行した時のこと。旅行中だったので、あまり遊び道具が手元になかったせいか、当時2歳くらいだった娘が食べ終わった豆の皮で遊び始めました。豆はヘルネというのですが、ヘレナという名前を付けて、なんだか楽しそうにままごとする娘を見て、子供の想像力に感動しました。これがない、あれがないと嘆くよりも、あるもので作ってしまったら案外悪くない。「ない」という余白のある状況は創造性を活かすチャンスなのかもしれません。いざという時には、豆の皮でさえも遊び道具になりうるという体験は、これからもずっと覚えておきたい教訓になりました。

父と子

共稼ぎが当たり前のフィンランドでは、女性も男性も人の仕事として、家事や子育てに取り組みます。夫も子供とよく遊ぶし、子育てに苦労したり、楽しんだりしています。夫が日本語を習い始めたのも、「今が日本語を学ぶチャンスだよ。私とあいらの会話が秘密の会話になっちゃうよ」とちょっと脅しめいたことを言ったことがきっかけです。日本語教室で習字をした際には、「藍良」と漢字で一生懸命書いていて、子煩悩だなあと微笑ましく思ったものです。娘はパパっ子でもママっ子でもあります。一方で、自分の幼少時代を振り返ると、圧倒的に母と過ごした時間の方が多かったように思います。いわば、母が家事と子育てのリーダーだったので、自然と母からの影響力が強くなるのも不思議ではありません。父は家の外の仕事がメインだったので、あまり父親との思い出がありません。それは父が望んでいたことではないかもしれないけれど、当時は他に選択肢がなかったのかもしれません。父も仕事ばかりで、子供と過ごす時間がなくてかわいそうだったな。もっと父と過ごす時間を大事にしようと今更ながら思いました。

シナモンロールは父の味

夫のユッシは出会った頃からパン作りが得意で、我が家では、パンや焼き菓子系はユッシが担当します。シナモンロールは、我が家の誕生日会には欠かせない一品。みんな、喜んでくれるので夫もはりきって作ります。日本に帰国した際に、夫がたまに開くシナモンロール教室。フィンランドでは男性が菓子パンを焼いても珍しいことでもないので、特に驚かれないのですが、日本ではみな褒めてくれるので、ユッシもちょっとうれしそうです。そういえば、出会った頃に、ユッシに「シナモンロールを作ったから、食べにおいでよ」と誘われ、木造建築の薄暗い屋根裏で作ってもらったのを思い出しました。できたてのシナモンロールは本当においしくて、その時にちょっと心を掴まれたのかもしれません。我が家では、夫の味、父の味といえば、シナモンロールなのです。

なによりも
睡眠が大事

フィンランドの人は睡眠をしっかり取る人が多いように感じます。2020年のYle（国営放送）の記事によると、平均睡眠時間が7時間35分だったようで、大人だと7時間から9時間の睡眠時間が体によいとされています。もしかして、金縛りという言葉がこの国に定着していないのは、睡眠が十分に取れているからなのかもしれません。特にユッシはよく寝ます。昔からよく寝る子供だったと幼馴染も言っているほど。夫はストレスをほとんど溜めないのですが、仕事で多忙な日々が続いたりすると、みるみるうちに顔から元気がなくなっていきます。それでも、たっぷり眠った次の朝にはいつもの笑顔に戻るのです。ひょっとすると、ストレスには睡眠がなによりの良薬なのかもしれません。寝る子は育つ、寝る人は元気になる？

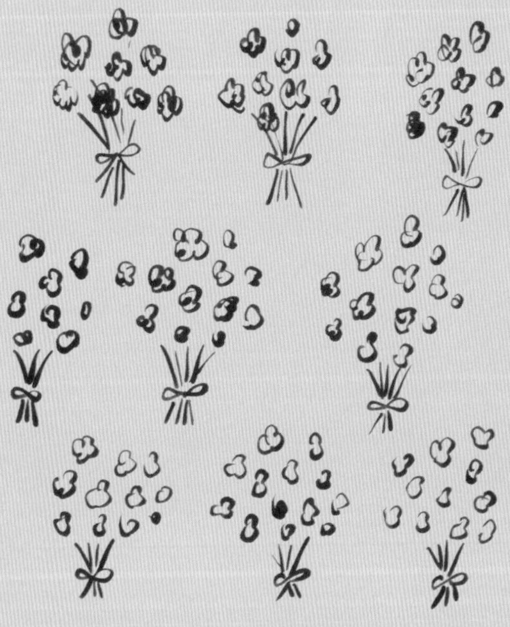

3／自分らしさ

敷かれたレールなんて
ない

高校を卒業した後は、大学に進み、就職活動を経て就職。なんとなく、すでに敷かれたレールというものがあり、そこに乗っておけば、とりあえず安心という感覚がありました。しかし、27歳でフィンランドに移住することを決め、すべて手探りで人生を一から始めることになった時、レールなんてものはどこにも見当たりませんでした。仕事も言語の習得も友人関係も一から。当時は、不安だらけだったけれど、16年経った今振り返ってみると、試行錯誤でやってきたことが少しずつつながって道ができてきました。そして、どこでもなんとか生きていける草の根のような小さな自信が、おまけでついてきたような気がします。結局、敷かれたレールや人生のマニュアルなんてただの幻想で存在せず、自分で時々方向を変えたり、迷ったり、道草をしたりしながら、道をつくっていくのだと思います。

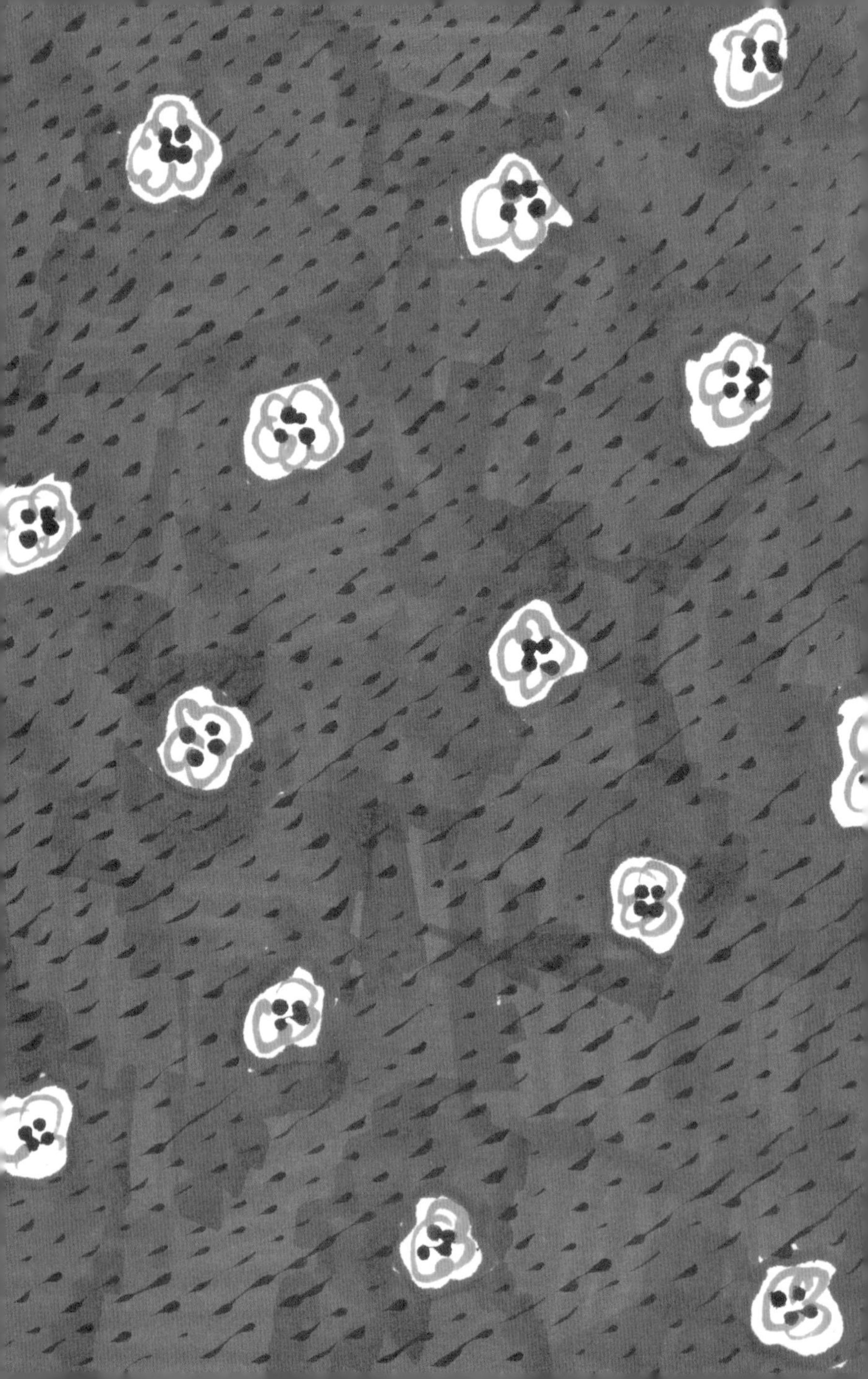

pikkuhiljaa《ピックヒリヤー》の おまじない

フィンランドに移住した当時は、大海原にぽーんとなげだされたようなそんな状態でした。自由だけれど、どっちに進んだらいいかわからないし、一体どこから始めたらいいのかわからない。言葉の習得もままならず、仕事もなかなか見つからず、焦る気持ちに苛まれていました。そんな時に友人に何度もかけてもらった言葉がpikkuhiljaa(ピックヒリヤー)。直訳すると「小さく静かに」で、少しずつという意味です。かたつむりの一歩でも、続けていけばいつか道になります。今でも焦りや不安に心が支配されそうになると、この言葉を思い出して心を落ち着かせています。

kaikki tunteet on sallittu

あらゆる感情を受け入れる

うれしい、かなしい、さびしい、言葉にできない気持ち。人間の感情ほど複雑で、きまぐれで、不思議なものはありません。私の友人は、厳しい母親に育てられ、小さい頃は頑張って優等生になろうとしていたのだそう。あまりに頑張り過ぎて、自分の気持ちに蓋をして走り続けた結果、数年前に燃え尽き症候群になってしまいました。彼女は自分の子供にこう教えます。どんな感情も受け入れよう。泣きたい時には涙を流し、笑いたい時には思いっきり笑おう。我慢せず、自分の中にある様々な感情に素直になり、受け止める。大事な心のケアです。

長所を見つける

週に一度、保育園からクラス全員に1週間の報告書が送られてきます。写真付きの報告書には、その週にどんなことがあったかが書かれていて、いつも興味深く読んでいます。その週は、自分のよいところを見つけようというアクティビティがあったようで、子供たちが自分の長所が書かれたカードを4～5枚手に持っている写真が載っていました。「はやい」「芸術的」「体が柔らかい」「注意深い」「リラックスしている」「落ち着いている」「ごめんなさいと言える」「自分やほかの人を守ることができる」「面白い」などなど。自分とは長いつきあいなので、自分の長所をたくさん見つけることって、大事なことですね。

子供心を思い出す

2022 年の秋、フィンランドの出版社より、初の絵本をだすことになりました。11 月には出版記念の展示をヘルシンキで開催し、週末には絵本の読み聞かせをしました。最後の読み聞かせの会は参加者がたまたま大人ばかり。みな少しはにかみながら、ラグの上に腰掛け、読み聞かせを楽しんでくれました。大人になってから、絵本を読んでもらう機会はなかなかありませんが、肉声を通して聞こえる物語は心の奥深い部分にすーっと触れたようで、友人は涙が自然と出た、と感動してくれました。どんな大人もかつては子供だったのです。時折、子供心を思い出すことって、大事なことですね。これからも子供も大人も分け隔てなく、絵本の読み聞かせをしていきたいなと思いました。

できることから

若者が集まるカッリオ地区に居心地のよいカフェがあります。自然光が降り注ぐオープンな空間が広がるカフェIPIは、特別支援が必要な人々や将来福祉関係に携わる学生の研修先としても機能しています。このカフェについて、雑誌の記事を書くことになり、経営者のインタビューでとても心に残る話を伺うことができました。この事業は、カフェで働いてみたいという一人の夢から始まったのだとか。ここでは、研修生のやりたいという意志を最優先し、できることから始めて、小さな成功を繰り返すうちに、働くことの楽しさを味わい、自信につなげることを目的としているのだそうです。この姿勢は、特別支援が必要な人だけでなく、すべての人に有効だなと話を聞きながら思いました。子育てをする上でも、自分が新しいことをする上でも、こんな風に小さな成功を積み重ねて、楽しみながら少しずつ挑戦していきたいものです。

うらやむよりも憧れよう

これは、沖縄時代のルームメイト、てんこちゃんのお母さんが教えてくれた言葉で、時折思い出しては、ふむふむとうなずいています。ついつい、自分の持っていないものを持っている人にはジェラシーを燃やしがちですが、うらやましがるのではなく、それを憧れに変えてしまえばいいんです。いいなあと思うということは、自分も心の底ではそんな風になりたいと願っているということ。つまり、目指すべき道を示してくれていることになります。憧れの人がたくさんいるのって、豊かなことだと思います。

違和感を大事にする

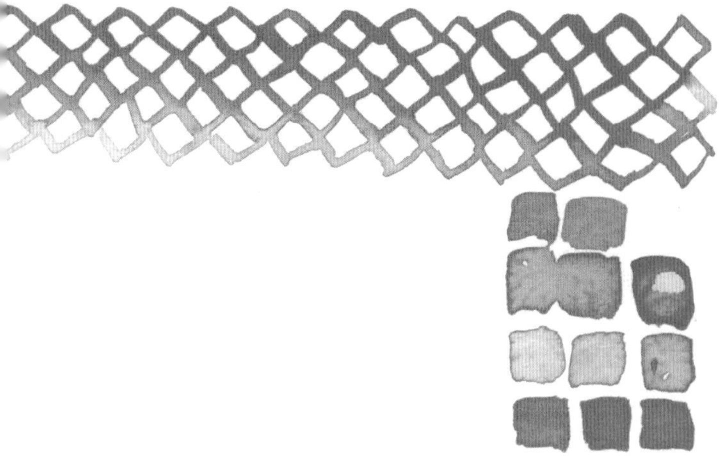

日常でふと抱く違和感。それって、すごく直感に近くて、言葉で言い表すのが難しい感情だったりすると思います。でも、それは自分のまっさらな心が反応していること。その感覚を大事にしていたら、自分と価値観が似ている人と出会ったり、やりたいことが見えてきたり、自分と波長があう場所に辿り着けたりすると思います。

一人の時間

ある日曜のこと、家の掃除がしたかったので、その間は友達の家に遊びにいったらどうかと娘に提案すると、「今日は一人で遊びたい」というのです。ママとパパは掃除するから一緒に遊べないけどいいのと聞いても、「一人で遊ぶ！」とのこと。あまりに意志が固いので、友達のお母さんに連絡して、理由を説明すると、「残念！でもわかったわ。また今度ね」と返事がありました。その後、嬉々として自分の部屋に向かい、ぬいぐるみたちとなにやらロールプレイをして、長いこと一人で遊んでいました。先日、一緒に絵本を作った作家のレーッタと話す機会があり、彼女は小学３年生くらいになるまで読み書きがあまりできず、それまでは習い事もせず、ひたすら一人で絵を描いたり、物語を考えたりしながら、想像の世界で遊んでいたというのです。その時に培った想像力が自分の仕事の糧になっていると話してくれました。時には、一人になり、自分のペースで、思いっきり自分の好きなことに没頭したり、ぼーっとしたりする余白の時間を持つことも、自分という軸を育てるための大事な時間なのだろうなと思います。

カテゴリーから自由になる

出版を記念してトークショーをした時に、どうしたら幸福度が上がると思いますかとの質問がありました。私は専門家ではないので、答えはわからないのですが、日本にはカテゴリーがたくさんあるなあということが気になっていました。「アラサー」「肉食女子」「イクメン」「ワーママ」（どれも古いかも？）などなど。フィンランドでは、そんな風にキャッチーな感じで、人をカテゴライズする習慣はありません。カテゴリーはある種、枠組みのようなもので、そんな狭苦しいカテゴリーに自分を閉じ込めなくてもいいんじゃないかなあと思うのです。イギリスのオーディション番組に、外見も控えめな女性が登場した時に、審査員が年齢を聞いて、50代と答えると会場から同情するような声が上がりました。女性は負けじと、「でも、それは私のたった一面にすぎないの」と言って、会場を黙らせました。そして、歌い出すと思いがけない美しい歌声に会場の人々が魅了されたのです。外見や年齢など、表面的なことに人は囚われがちですが、彼女の言った通り、それは一部分にすぎません。狭いカテゴリーから自分を解き放てば、気持ちが楽になって、幸福度も自然と上がるのではないかなと思います。

風変わりな鳥

近所に住む音楽家の方と通勤中にした世間話がしばらく頭に残りました。フランス生活が長かった彼は、だんだんフィンランドでも、フランスでも自分がアウトサイダーに感じるようになってきたというのです。私も同じように感じていたので、とても共感しました。それは決して悪いことではなく、日本を離れて長いので、自然なことなのでしょう。フィンランドの影響を受けている部分もあるけれど、日本人のアイデンティティだって持ち合わせているのです。世の中は白黒はっきりしないことだらけですし、最近はこのアウトサイダーの感覚も悪くないなと思っています。フィンランド語では、ユニークで珍しい人のことを「Outolintu（風変わりな鳥）」と言います。フィンランドには、あの子は浮いている、変わっているとレッテルを貼る文化はなく、どちらかというと、変わっていることは個性的で、ポジティブに捉えられている感覚があります。オイヴァ・トイッカのデザインした個性あふれるバードのように、それぞれが美しいOutolintuであればいいのではと思うのです。

自分の物語を生きる

2022年の秋に心の支えだった姉を失い、心にぽっかり空いた穴は今もそのままです。時々無性に会いたくなって涙が流れることもあるけれど、同時に何かがふっきれたような感覚もあります。いつか人生に終わりが来るということを初めて受け入れたという感覚でしょうか。そして、残りの人生を自分らしく生きたい、そして娘が自分らしく生きられるようにサポートをしたいと考えるようになりました。また、学生時代に読んだ、「今日は死ぬのにもってこいの日」という本のことを思い出しました。若かりし頃、このネイティブアメリカンの言葉を聞いた時には、なんて暗いタイトルなんだと衝撃を受けたのですが、本を読んでいくうちに、今日死んでも後悔がないように生きよう、今を大事に生きようというメッセージであることがわかりました。生きていくことは、自分の物語という布を織り続けていくこと。みんながそうしているからって、それが自分の作品に合っているとは限らない。自分の力ではコントロールできないこともたくさんあります。だけど、自分の生き方くらい自分で決めていきたい。迷いながらも、自分がいいなと思う糸を選んでいきたいなと思うのです。

すべては
うまくいく

よく聴いているラジオ番組で、心配性がどうしたら治るかという質問に、脳科学者が「自分は大丈夫」という根拠のない自信を持つことと言っていました。すなわち、生まれた瞬間から自分は大丈夫、ありのままの自分を受け入れるということだというのです。私も新しいことを始めたりする時には、自信もなく、焦ったり、不安になったりすることがありますが、そんな時にはゆっくり深呼吸して、フィンランド語の「kaikki järjestyy（カイッキヤルイェステュー、すべてはうまくいく）」という言葉を思い出します。Järjestää にはまとめる、整える、調整するという意味があり、すべてはいずれうまくまとまるということです。何か困難にぶち当たると、フィンランド人が呪文のように唱える言葉は、根拠はないけれど、いずれうまくいくと信じて前に進む勇気を与えてくれます。

セラピーは
自分を
映し出してくれる鏡

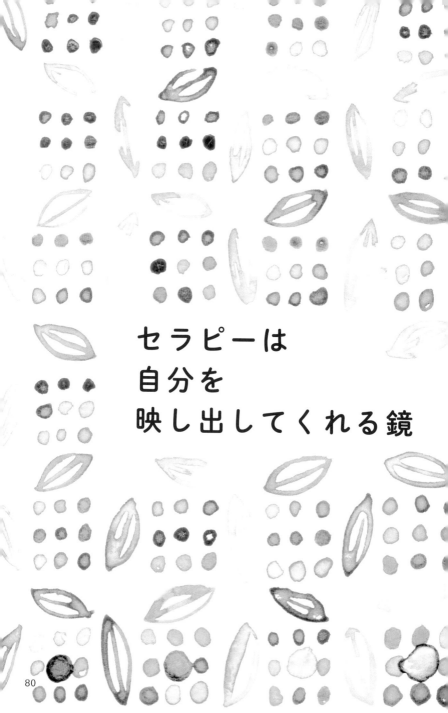

親しい友人はここ数年、週に一度セラピーに通っています。セラピーに通うことは、同世代の間で定着した習慣になりつつあり、精神科医の紹介状があれば、健康保険で負担が軽減される場合もあります。仕事で燃え尽き症候群になってしまった人、離婚後、新しいパートナーとつきあい始めの頃から、週に一度カップルセラピーを受ける人や、子供が小さい頃から家族セラピーに通っている夫婦もいます。友人はセラピーに通うことで、自分を客観視できたと言います。セラピストは判断を下すわけでもなく、答えやアドバイスをくれるわけでもなく、そこにいてじっと話を聞くのが仕事。自分の味方になってくれる友達も、自分の意見を言ってくれる家族も大事ですが、完全に中立な立場のセラピストと話すことで、自分が鏡に映し出され、気づきがあるのだと言います。私も前パートナーと別居している時に、セラピーやアートセラピーを試しましたが、心が弱って、判断力がなくなっていたので、第三者と話すことで自分を見つめ直すことができました。セラピーを通して、自分で気づいていくこと、そして自分で答えを出すことの大切さを教わりました。

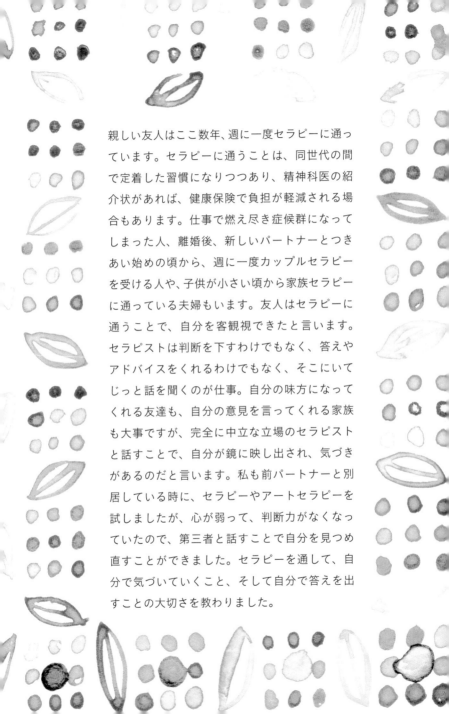

本来の自分

一度目の結婚の時に、結婚したら、片目をつむって、相手のよいところを見たらよいと母に言われていました。しかし、目をつむるにも限界があるものだと感じ始め、まずは別居してみることにしました。離れてから、みるみると自分を取り戻していく感覚がありました。そうか、自分は衝突をさけるために、相手の顔色をうかがって、自分の気持ちに蓋をして、そうしているうちに、本来の自分が姿を隠していたんだなということがわかったのです。お互いが自分らしく生きるためにも、離婚することにしました。何かに悩んだり、自分がわからなくなったりしたら、一度その場から離れてみると、本来の自分に気がつくことがあります。自分が何に苦しんでいるのかに気づき、苦しみから解放できるのも自分だけです。

4／暮らしの楽しみ方

ほどほどに

ベリー摘みが嫌いという友人がいます。話を聞くと、子供の頃、毎年夏になると、手伝わされていて嫌になってしまったというのです。昔から夏の間にせっせとブルーベリーやコケモモを摘んで、冷凍したり、ジャムにしたりして1年中食べるという習慣がありますが、1年分を確保するためには相当の量を採らないといけません。我が家では、あまり気負わず、次の日の朝ごはんやベリーパイを作るくらい採ったら終わりにしています。ほどほどにするのが、長続きの秘訣かもしれません。

暗さを楽しむ

フィンランドの冬はとにかく長い。寒さよりも、暗さが身にしみる季節。太陽の光を数週間見ていないなんていう日が続きます。暗い冬を楽しく過ごす知恵もたくさんあるのですが、そのうちの一つがロウソク。家族よりも少し早く起きたら、まずマッチに火をつけて、ロウソクに火を灯します。温かいお茶を飲みながら、ロウソクの火がわずかに揺れる様子をぼーっと見つめるのです。朝なのか夜なのか、夢なのか現実なのか、一瞬自分がどこにいるかわからなくなるような幻想的な時間。暗い時は、あえて暗いことを楽しむというのもなかなかよいものです。

金曜日はピザの日

子供にも大人にも大人気のピザ。Pizzaperjantai（ピッツァペルヤンタイ）といって、金曜日にはピザを食べるという習慣があります。2006年に作られた冷凍ピザのCMソングがきっかけで広がった言葉だそうですが、今ではすっかり定着しているようです。我が家も毎週ではありませんが、ふと忘れた頃に夫が今日はピッツァペルヤンタイにしようと提案。お気に入りのピザ屋で宅配を頼み、ピザを食べた後は、自宅で映画を観たりして、のんびり過ごします。調理係の私も後片付け係の夫も家事から解放されて、軽やかな気持ちで、週末前夜を楽しみます。

ジョギングサウナ

毎週水曜日は私が住んでいるテラスハウスのジョギングサウナの日。週に一度、住人が共同サウナを使える日があります。水曜の18時から女性、19時半から男性と決まっていて、その名もジョギングサウナ。ジョギングなどして、汗をかいた後にサウナに行くという意味なのだと思うのですが、サウナだけ入りに行っても構いません。近所の人々と一緒にサウナに入るのもフィンランドならではですが、サウナで近況を話したりするのはリラックスできる時間です。

ちょっとした
アイデアで
楽しく

私たちが暮らすテラスハウスには、小さな子どもたちがたくさん住んでいます。3歳になった男の子の誕生日会に招待され、保育園の後に娘と参加しました。最初は家でする予定が、両親が少し風邪気味ということで、風邪が室内ではうつってしまう可能性があるので、念のため、外で開催することに。外は曇り空で0度。ちょっと正直気が乗らないなあなんて思ってしまいましたが、まずは温かいミニピザで腹ごしらえ。両親が誕生日ボーイの好きなパウパトロールを題材にした、体を動かすアクティビティを考えていて、子供たちも体もぽかぽか、とっても楽しそうでした。締めは自分で作る生クリームたっぷりの菓子パン。鼻にクリームをつけながら、おいしそうに頬張る子どもたちの姿を見ながら、厳しい自然環境でも、ちょっとしたアイデア次第で楽しさも倍増、寒さも吹き飛ばすんだなあとまた一つ学びました。ちなみに子供に人気だったアクティビティは、ママが前日ジムで体を動かしながら考えたのだとか。パワフル！

季節のスイーツを楽しむ

フィンランドには、年に数回、この日にはこれを食べるというスイーツがあります。いくつか紹介すると、2月5日のルネベルグの日にはルネベルギントルットゥというスイーツ、2月中旬には生クリームたっぷりのラスキアイスプッラ、イースターには真っ黒のマンミ、ヴァップ(メイデー)にはドーナッツといった具合で、まるで季節のスイーツで1年が巡っていくかのよう。ラスキアイスプッラなんておいしくって、1年中食べたいくらいですが、逆にいつでも食べられるようになってしまったら、飽きてしまいそうですし、この特別感のありがたみがなくなってしまうかもしれないですね。子供も大人も、1年に1回だけの特別なスイーツの時期を楽しみにしています。

日頃の小さな習慣

普段から座りっぱなしで仕事をすることが多いのですが、そのせいか、腰痛に悩んでいました。月に一度は中国の整体に通っていたのですが、なかなかよくなりません。体を温めて、適度な運動をするように言われたので、朝起きた時と寝る前に10分ほどヨガをして、足が冷えている時には、寝る前に岩塩を入れたお湯で足湯をするようになりました。また、理学療法士に30分ごとに仕事の姿勢を変えるとよいと言われたので、立って仕事をしたり、座って仕事をしたり、なるべく長時間同じ姿勢で座り続けないようにするようにしています。そうこうしていると、いつ頃からか腰痛も軽くなり、整体師の方には今も凝っているけど、前ほどひどくなくなったと言われました。小さな習慣ですが、続けることでささやかな効果が出てきたようです。

photo: Katja Hagelstam

ギャラリー巡り

ヘルシンキには、小さなギャラリーがたくさんあります。だいたい月替わりで展示をしているのですが、街に出かけたついでに、ふらりと寄ることがあります。Lokalは写真家のカティヤが始めたギャラリーショップで、彼女が丁寧にセレクトした、陶器、ガラス、テキスタイルなど、現代の作家たちの作品が見られます。現代アートだと、Galerie Forsblom, Anhava, Helsinki Contemporaryというギャラリーで、今を時めく若手アーティストなどの作品を見ることができます。また、毎年3月にはオルナモというデザイン組合が開催する大きなデザイン工芸の販売イベントがあり、広大な敷地いっぱいに様々な作品がずらりと並ぶので、一度にフィンランドの工芸作品を見たい方には、こちらのイベントはおすすめです。また、デザインが好きな方には9月頭のヘルシンキデザインウィークがおすすめです。オープニングパーティーはだいたい木曜日に開催されるのですが、一般公開しているイベントも多く、アーティストに会えたり、久しぶりに知り合いに会えたりと、楽しいひと時が過ごせます。少なくとも月に一度は、ギャラリーに出かけて、美しいものを見て、心の栄養補給をしたいなと思っています。

500
300

一杯の
モーニングコーヒー

スウェーデンのフィーカという言葉が日本で定着しているように思いますが、フィンランドでもコーヒーブレイクは大事な習慣です。カハヴィタウコというので、あまりキャッチーな響きではありませんが、会社で働いている時には、1日に1回コーヒーブレイクがあり、同僚とおしゃべりしたり、リセットする時間でした。フリーランスの私の場合、1日のスタートに朝は一杯のコーヒーをハンドドリップで淹れています。ゆっくりお湯をまわし淹れるのは、1日が始まる儀式のようで、徐々に夢から目覚める移行の時間となっています。フィンランドの人は大のコーヒー好きで、1日に何杯も飲んでいる人もいますが、私は覚醒しすぎて集中できなくなるので、朝の一杯がちょうどいいのです。最近は、スペイン旅行で買ってきた手描きの絵付けが美しい大きなマグがお気に入りです。

犬好きな人々

散歩に出かけると、犬を飼っている人とよくすれ違います。近所にもドッグランがあったり、公園があったり、自然が近くにあるので犬には住みやすい環境です。フィンランドにはペットショップはないのですが、犬種別のブリーダーを探すか、保護犬を引き受けるという方法があります。犬を飼っている人は、犬がいるおかげで、1年を通して、どんな天候でも必ず外に出ないといけないので、それがよい気分転換にもなるのだといいます。夫の職場では、オフィスドッグといって、社員が自分の犬を職場に連れてくるらしいのですが、職場の雰囲気も和やかになるのだとか。見ず知らずの人にはあまり話しかける習慣がないフィンランドでも、犬がいると自然と会話が生まれるから不思議です。私も子供の頃から犬と共に育ってきたので、いつか犬を迎えたいなと思っています。

2023

お茶は仕事の友

私が仕事の友としているのが、お茶です。朝、コーヒーを淹れる時に、お茶も一緒に作って魔法瓶に注ぎ、それをちょこちょこ飲んでいます。ヘルシンキ近郊にはthéhuoneというお茶の専門店があり、好きなお茶を量り売りで買えます。姉が闘病していた頃、鍼の先生にアマチャヅルチャという免疫力を向上させる中国茶を勧められ、このお店に買いにきたことがきっかけで、時折お茶を買いに行くようになりました。茶葉が入った大きな缶が所狭しと並んでいて、ひと昔前の薬局のような雰囲気があります。風邪をひきそうな時にはレモンジンジャー、朝はベルガモット多めのアールグレイなど、気分に合わせてお茶を楽しんでいます。フィンランドはもっぱらコーヒー派が多かったのですが、最近はお茶が楽しめる場所も増えてきてうれしいです。中心地には、teemaaというティーサロンがあり、かわいらしい季節のオリジナルスイーツと中国、台湾、日本などのお茶がいただけます。お湯もお代わりでいただけるのもうれしいサービス。ミーティングやリモートワークの時に利用したい場所です。

冬場はせっせとジム通い

コロナで家にいることが増え、運動不足が続く日々。これはどうにかしたいと、夫と二人でジムの会員になることにしました。今では週に一度か二度、娘を交代で見ながら、ジムのヨガクラスに通っています。ジム後の楽しみは、なんといってもサウナ。今は電気代が高騰しているので、利用者が多い平日16時以降にサウナが温められているようです。ヨガの後は、サウナで汗を流してすっきり。1月は1年の始まりということで、ジムもすごく混んでいて、健康に過ごそうという意気込みが感じられました。冬が長く、天気がよくない日も多いので、天気に左右されないジムが人気の理由も最近ようやくわかるようになってきました。

気軽に美術館

数年前からMuseokortti（ミュージアムカード）を活用しています。年会費の約76ユーロ（キャンペーン中は約60€）を払えば、全国350の美術館が1年間無料で利用できるのです。人気の美術館は、1回の入場料が約20€なので、4回も行けば元が取れるわけです。このカードのおかげで、気軽に美術館に足を運ぶようになりましたし、好きな展示には何度も足を運ぶなんてことができるのもうれしい特典です。美術館は誰にでも開かれた場所で、ベビーカーや車椅子の対応もしっかりしているので、育児休暇中の友人は平日の昼によく赤ちゃんと一緒に美術館に行っています。私たちも週末になると、美術館にふらりとでかけます。特に、冬場の天気が悪い日なんかは、美術館日和。人口も少ないので、大人気の展示の終了間際以外はほぼ込み合うこともなく、ゆっくりアート鑑賞を楽しむことができます。赤ちゃんからお年寄りまで、誰もが気軽にアートを楽しめる環境は豊かな社会作りに繋がります。

5／ひとづきあい

異分野の友達

テラスハウスに引っ越してから、近所づきあいの仕方が一変しました。ここには、小さな子供がいる家族がたくさん住んでいて、数家族で仲良くなり、ザリガニパーティーや庭でフリーマーケット、誕生日会など、一緒に楽しいひと時を過ごしています。先日は娘が３軒先の友達の家に泊まりに行ったので、うちにテラスハウスのママたちがワインを持ち寄って、夜中まで語らいました。音楽家、CA、デパートのマーケティング、教員など、色々な仕事をしてきた彼女たちとの話にいつも刺激をもらいます。美大生だった頃、グラフィックデザインの先生が、シェアスタジオをするならば、違う分野の人とするのがおすすめよと言っていたのを思い出します。同じ分野の友人との情報交換や悩み相談も大切ですが、異分野の友人も自分にはない視点を持っていたりして、ぐっと視野を広げてくれます。楽しい近所づきあいに感謝です。

お家でごはん会

フィンランドに移住してから、金曜日や週末に、友人を家に招いて、一緒にご飯を食べる機会が増えました。平日はぱぱっと簡単な夕食が多いのですが、週末は少し時間をかけてご飯を作ります。フィンランドの友人が来る時は、手巻き寿司を作ることが多いですが、とんかつ、お好み焼きなどもフィンランドの人が好んで食べてくれる和食です。日本から友人が来る時には、サーモンスープ、ソーセージのスープなど、フィンランドの家庭料理を作ります。みんなで食卓を囲んで、おいしいご飯やお酒をいただきながら、おしゃべりをするのは、とってもゆったりできる幸せな時間。友人が来る前には、掃除のモチベーションに火がつくのもプラスです。

お家で展示会

ヘルシンキで展示をしていた時のこと。ふらりとお客さんが入ってきました。森の微生物の粉塵を取り入れたオーガニックコスメのブランド、モイ フォレストを経営しているというカリタ・サイニオはもみの木のテキスタイルをとても気に入ってくれて、すっかり意気投合。何か一緒にやりたいねということで、彼女の自宅でクリスマスパーティーを開催し、そこで１日だけの展示会を開催することになりました。個人宅で展示をするのも初めてですが、面白そう！とワクワクしたので、思い切ってやってみることに。当日はカリタが料理を準備し、夫のマルッティ・クオッパが設置を手伝ってくれました。マルッティはBMXの元世界チャンピオンで、今は日本人選手のコーチをオンラインでしているのだとか。初めて会う人ばかりでしたが、オープンで気さくなカリタとマルッティの友人たちはみな温かい人たちで、とってもアットホームな会になりました。人との縁はどこに転がっているかわからないなと改めて感じた夜でした。

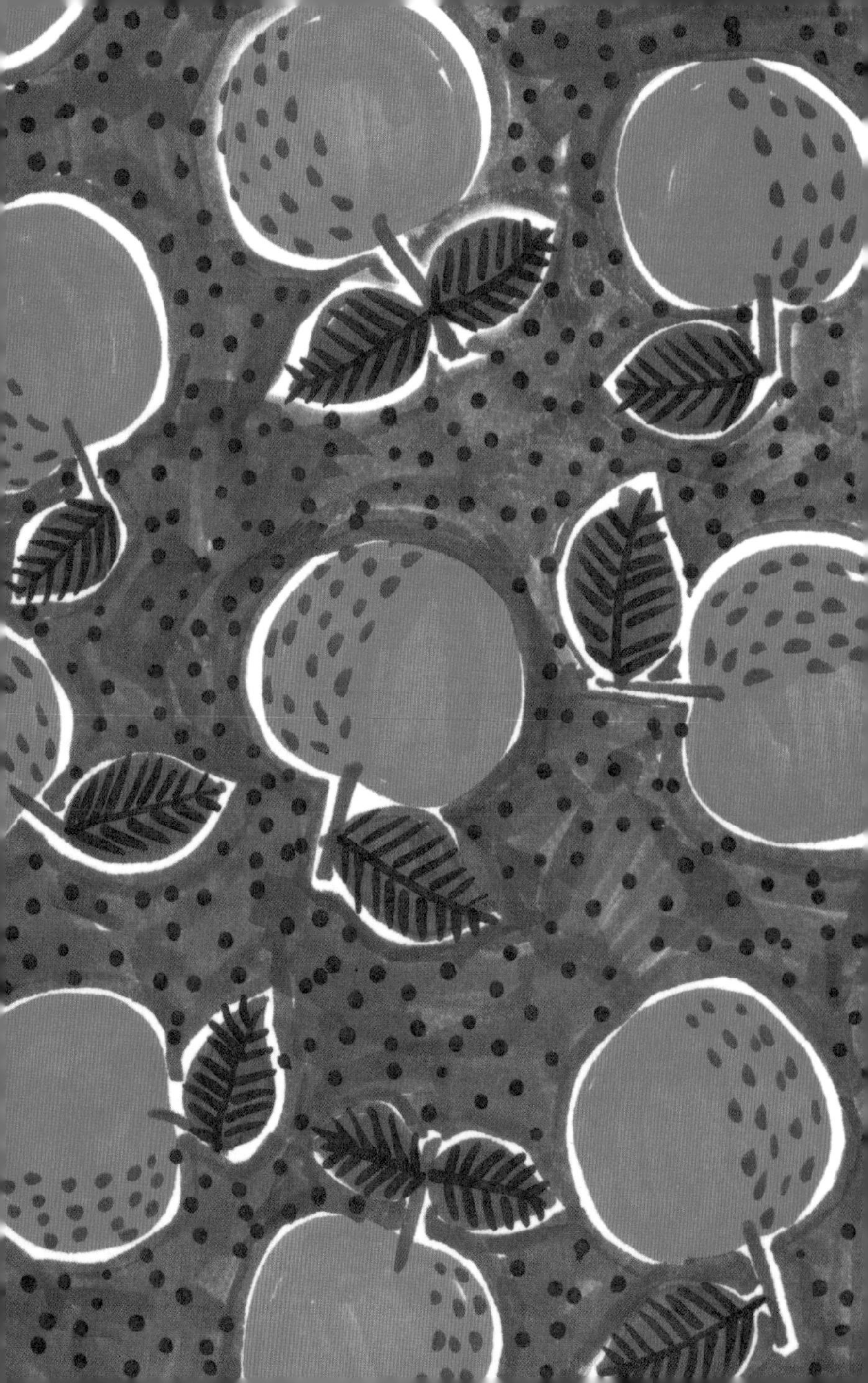

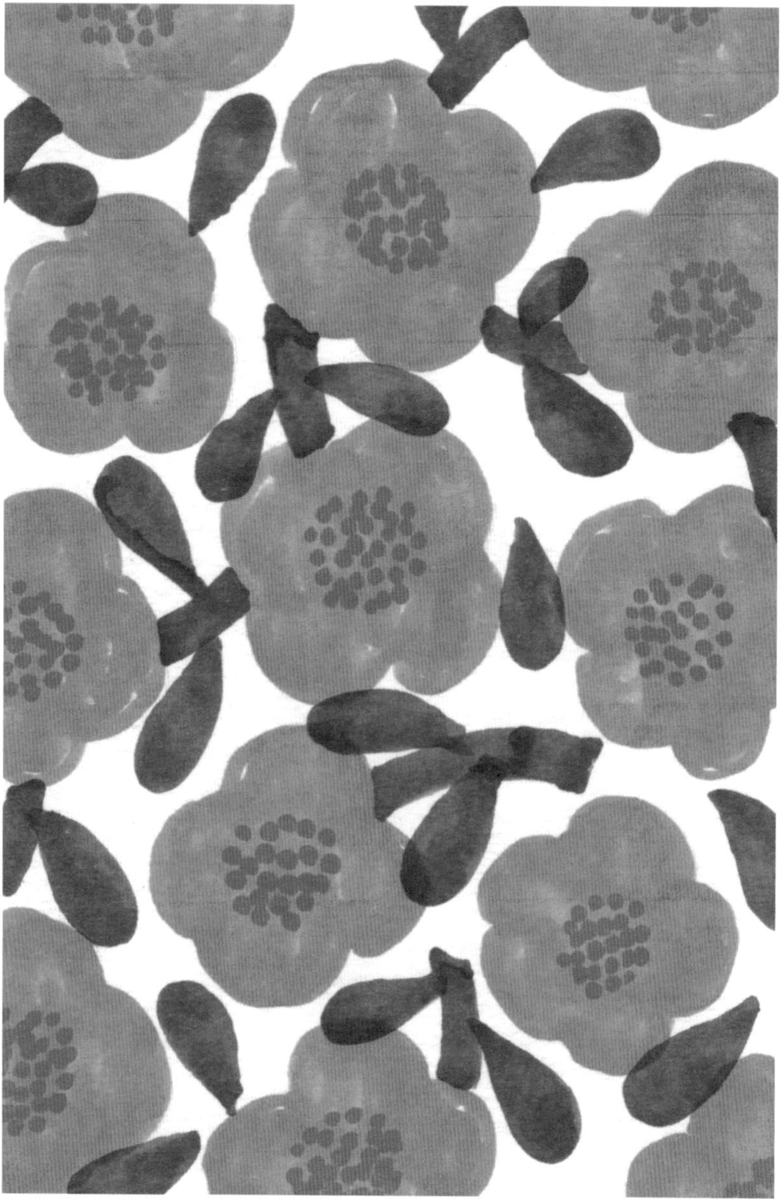

新しい「ふつう」を作る

日本の女性誌の取材で、フィンランドの家族を紹介する機会がありました。近所にお母さんが二人いる家庭があるのですが、多様な家族の形を日本で是非紹介できたらと思い、取材を申し込みました。すると、「パートナーと話し合ってみたけれど、今回はお断りすることにしました。でも、私たちがどうありたいか考えるよい機会だったわ。ありがとう」との返事でした。理由は、「ふつう」の家族として過ごしているので、取材を受けることで、7歳の息子が自分の家庭が「ふつう」ではなく、特別なんじゃないかと疑ってほしくないというのです。世の中に漂う「ふつう」をただ鵜呑みにするのではなく、自分たちが新しい「ふつう」を作っていくこともできるんだと、はっと気づかされました。

割り勘文化

レストランでの勘定の支払い方は、国によって大分異なり、文化の違いが表れます。この国の平等文化の表れなのか、フィンランドは友人と外食にでかける際は、ぴっちり割り勘です。レストランの従業員も割り勘には慣れっこで、面倒臭がらず、ぱぱっときっちり分けてくれます。例えば、友人３名と中華レストランで料理をシェアした場合。まず食べ物を３分割にして、それにそれぞれが頼んだ飲み物を足した３人分のお勘定をぱぱっと作ってくれます。数年前に台湾に旅行に行った際、友人の紹介で、フィンランドに留学していた女性に会いました。彼女のおすすめのお店で、おいしいものをたらふく食べて、いざお会計という時に、ここは私が支払いますと言うのです。びっくりして、「いえいえ、私たちが払います」と交渉したのですが、これは台湾の文化ですからときっぱり断られてしまいました。すっかり割り勘に慣れた私は、初対面の彼女に払ってもらって、申し訳ない気持ちになりました。ただ、この場面で、「いや、割り勘にしましょう！」と言い張っても、彼女が申し訳ない気持ちになるのかもしれません。郷に入っては郷に従えとは言いますが、いつか彼女がフィンランドに来た時には、割り勘ではなく、ご飯をご馳走したいなと思っています。

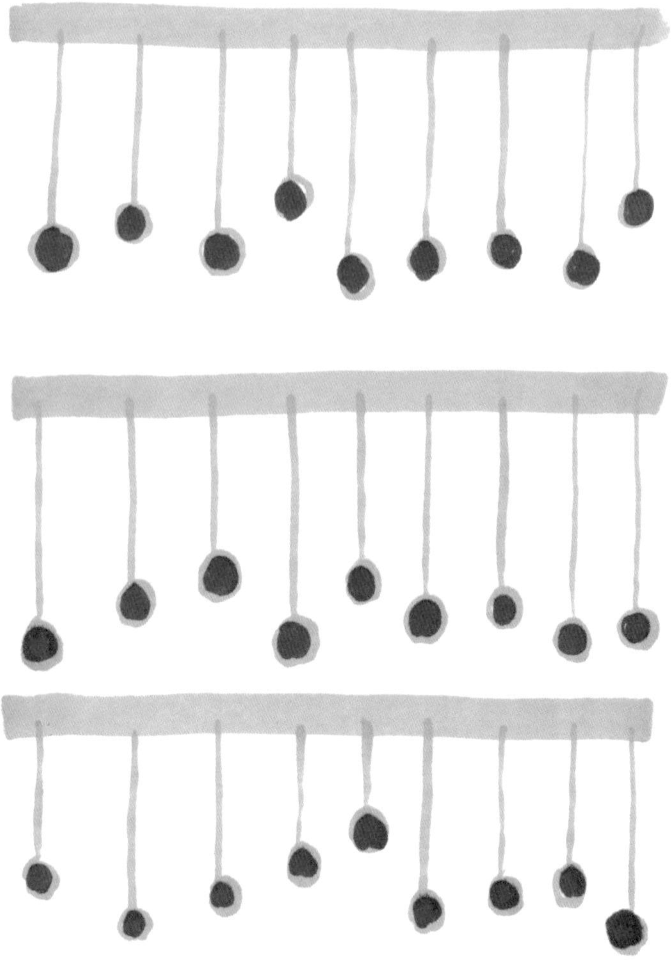

フラットな関係

私がフィンランドの美大に入学したのは、27歳の時。同級生は８名でしたが、みな年齢もばらばら。高校を卒業して、すぐに大学に入る人もいますが、やりたいことがまだわからない場合、アルバイトをしたり海外に住んだりしてから、自分のやりたいことを見つけて大学に入学するケースも多いです。年齢を聞かれることもなく、みんなファーストネームで呼び合うので、上下関係はゼロ。ましてや、教授の名前もファーストネームで呼び合います。最初は少し躊躇しましたが、すぐに慣れました。ファーストネームで呼び合うことで、人との距離が少し縮まり、よりフラットに率直に意見が言える関係になれる気がします。

怒りを引きずらない

13歳でフィンランドに初めてホームステイをした時のこと。待ち合わせに大幅に遅れてしまった時に、ホストシスターにぴしゃりと叱られました。私はしばらく、きまずいなあとしょげていたのですが、ホストシスターはというと、一瞬で普段通りの彼女に戻っていました。言いたいことが相手に伝われば、それでいいのです。切り替わりが早くて、びっくりしたのを今でも覚えています。怒りやネガティブな気持ちを引きずらないのも、なかなかの学ぶべきスキルだなと感心したものです。

子供のスキルや能力を褒める

6歳の娘の友達ウンナは言葉に長けていて、時々大人も顔負けなことを言ったりします。きっとこの子は古い魂を持っているのよと、お母さんは冗談を言うくらい。親が口論になった時には、お父さんとお母さんの言い分を順番に聞いて、仲介に入ったりもするのだとか。ひょんなことから、ウンナがアニメの声優のオーディションに参加し、小さな役を担当することになりました。収録後、ウンナの母は「声優はウンナにぴったりの仕事だった」と興奮気味。私もウンナにぴったりのことが見つかってうれしくなりました。私たちはよく子供たちの得意なことについて、褒め合います。みんな自分の子供たちのことを誇りに思っていて、同じくらい親バカ。外見などを褒めるのではなく、子供達の持っているスキルや能力について褒め合います。もちろん、子育てしていたらたくさんの問題や悩みもありますが、そういった話は愚痴というよりは、どうやったら解決できるかということを話し合います。一緒に喜びや悩みを共有できる友人は、共に困難を乗り越えていく盟友といった感じです。

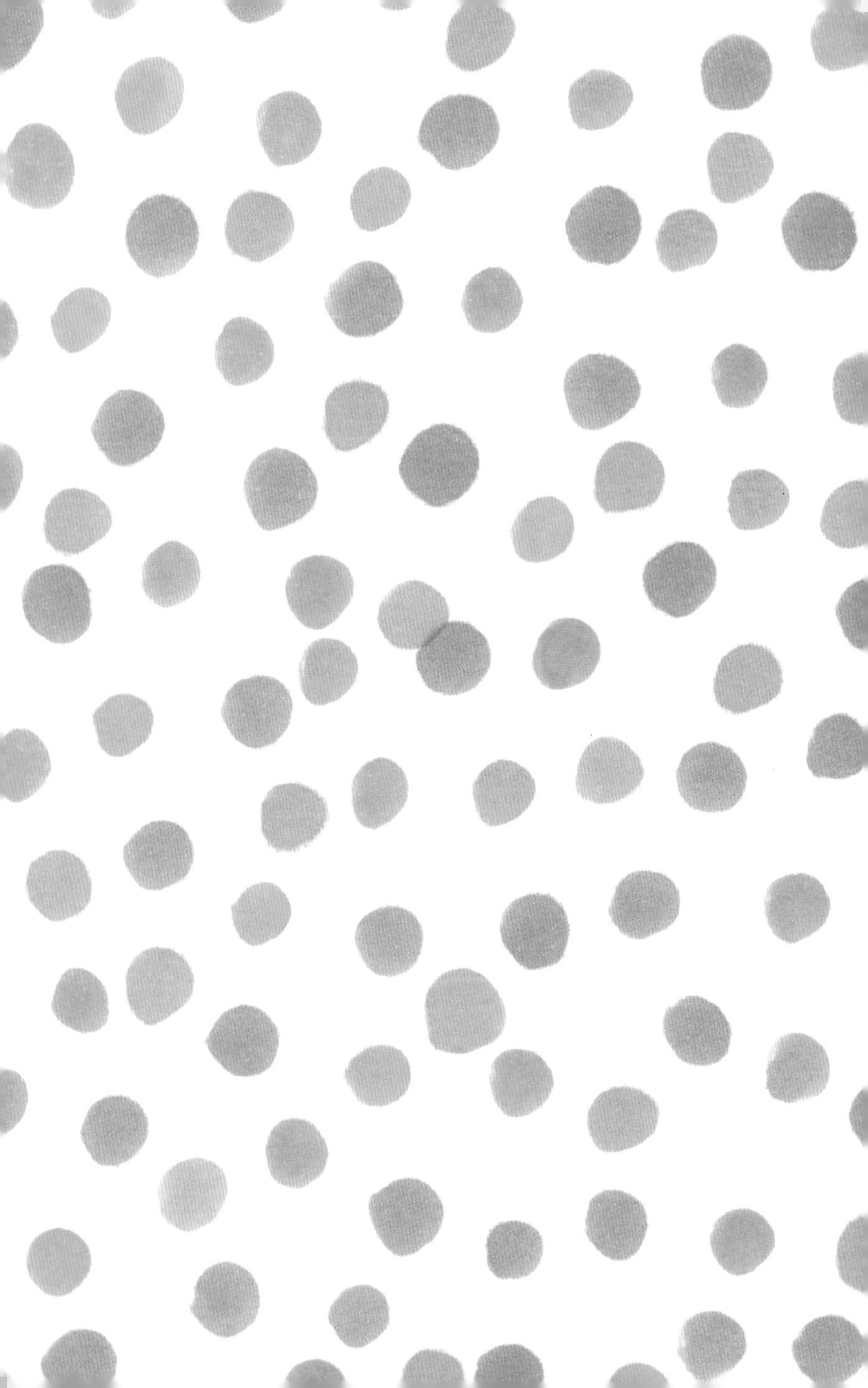

赤ちゃんの時から友達

夫には物心ついた時からの友達がいます。同じテラスハウスに住んでいた３歳上のペトリとは、学校が終わった後に一緒におばけクラブを作ったり、森を探検したり、ピンポンダッシュしたり……。数々の思い出話があります。家族ぐるみの付き合いだったので、夏休みには一緒に旅行したり、ユッシのお父さんがコーチになって、川でセーリングをしたり。小学校時代に引っ越してきたニクスが二人に加わり、３人で遊ぶようになります。ペトリとニクスは結婚することになるのですが、夫はベストマンとして結婚式に参加しました。娘が誕生した時には、二人には迷わずゴッドペアレンツになってもらいました。夫も二人といる時には、子供の頃のような顔になります。人生を通して、こんなつきあいができる友達がいるのって、本当にうらやましい限り。家族ぐるみのつきあいから生まれる息の長い友情。娘にはそんな環境を作りたいなと思います。

6／仕事とのつきあい方

新しい扉

仕事をクビになった！そんな投稿をFacebookで時折見かけます。そんな時に呪文のように見かけるコメントがこちら。’Kun yksi ovi sulkeutuu, uusi avautuu’（一つの扉が閉まると、新しい扉が開く）。なかなかクビになった直後はそう簡単にポジティブになれないかもしれません。でも、ずっとくよくよしていても何も始まらない。新しい可能性に目を向けることをうながしてくれる力強い言葉だなと思うのです。

Näyttelyä on tukenut:
KUVITTAJAT
etana editions
KUVITTAJAT
Pieni SATUPIHA
FinnCon
KIRJOJA

初めてのことは、ジェットコースター

10月末にヘルシンキでブックフェアが開催されます。フィンランドは図書館も充実していて、本をたくさん読む国民と言われています。2022年は初めてトークをする側として参加することになったのですが、フィンランド語でのトークイベントというのは初めてのことで、久しぶりにドキドキしました。金曜の夜に絵本作家のレーッタとトークがあり、日曜にはpieni satupihaという絵本のコーナーでトークイベントに参加しました。絵本を手がけているイラストレーターが、日替わりで展示をするというコーナーで、毎日1時間ずつイラストレーターが在廊して、絵本が生まれた経緯やイラストについて話すというコンセプトでした。エタナエディションという絵本出版社のイェンニと対談し、どのような経緯でフィンランドに来て、今の仕事をしているかという話、絵本の誕生秘話について話しました。これからの夢はと突然聞かれ、何も考えていなかったのですが、絵本を描くことがここ数年の夢だったので、これを続けることと答えました。初めての経験はいくつになっても緊張するものですが、終わった後はやってよかったと思えるものです。出発前は、手に汗をかいて胸がドキドキして、終わった後に「あー楽しかった」と爽快な気分になる、ジェットコースターと感覚が似ています。

仕事が
すべてではない

2022年ファッション誌の企画で、マリメッコの社長、ティーナ・アラフフタ＝カスコにインタビューする機会がありました。彼女は学生時代に、インターンを経験したことがきっかけで、マリメッコでの長いキャリアをスタートさせました。会社が成功する秘訣は、社員が幸せかどうかだといいます。仕事と私生活のバランスが取れていることが大事で、個人が幸せだと、仕事でも能力が存分に発揮できるからです。ティーナにとって、仕事が人生のすべてではないと言い切ります。余暇は夫と犬と森に行ったり、旅に出たりして、リフレッシュしているそうです。社員の幸せは会社の幸せ。とても理にかなった考え方のように思います。

maritori

首相だって
時には仕事を休む

2019年から2023年春まで首相を務めたサンナ・マリンは、５歳児を育てる母でもあります。ある日サンナがツイッターでつぶやいているのを見て、思わず、微笑んでしまいました。内容は、「娘が胃腸炎になり、自分にもうつったので、今日は仕事を休みます」というものでした。毎年冬場になると、胃腸炎が保育園などで大流行するのですが、症状が出たらその日は保育園を休みます。周りに感染するものなので、1日無症状だったら、その翌日から通園することになっています。病気は仕方がないことですし、お互い様なので、ゆっくり休んで回復するものという意識が浸透しています。首相の宣言に、多くの人が共感を示しました。

家族との時間

子供がいる家庭では、週末は森にでかけたり、冬はソリやクロスカントリースキーをしたり、美術館や映画館にでかけたり、家にいるのを楽しんだりする家族の時間。もちろん仕事上、そうもいかない人もいます。Yle（国営放送）による記事で、ミシュランの星を一つ獲得したレストランが店じまいするということを知りました。その理由の一つが、13歳の娘ともっと時間を過ごしたいからと聞いて驚きました。12年間レストラン経営をしていたオーナーはインタビューで、仕事の比重が大きすぎて、家族や結婚を手放さないといけない同僚たちの例をたくさん見てきたといいます。「いつパパと一緒に時間が過ごせるの？」という娘の問いに、「今だ」と思ったのだそうです。家族との時間のためならば、ミシュランの星を失うのも惜しくないという姿勢が素敵だなと思いました。子供とたっぷり過ごせるのも、人生の中でほんの一瞬の出来事。どんなに締切に追われていても、せめて週末の1日は家族との時間を大切にして、たくさん楽しい思い出を作りたいなと思っています。

肩書きはいくつあってもいい

肩書きがたくさんある人に出会うことが多いです。または、職業をがらっと変える人もいれば、医者時々作曲家といった具合に、兼業している人もたくさんいます。中でも、アーティスト、小説家、コミックアーティスト、イラストレーターなど、ムーミンの生みの親であるトーベ・ヤンソンは肩書きが多いことで有名です。私も肩書きが一つに収まらず、このままでいいのかなと思うこともありましたが、今では枠にはまらずにやりたいことにどんどんチャレンジしていけばいいのだと考えるようになりました。

自分で
選んだ道

美術大学在学中に、学校を休学して、デザイン会社に就職することになりました。卒業前に就職したのは理由があります。当時、私は離婚を決めていたので、自立する必要があったから。それまでも貯金を崩しながら、アルバイトで生活費をやりくりしていましたが、これからは一人で家賃も払わないといけないし、何よりビザの申請が控えていたのです。結婚していれば、そのままビザは延長されますが、離婚した場合には、労働を理由にビザを申請し直す必要があります。幸い、インターンをしている時に、社員を増やすという話を聞いたので、社員になりたいと思い切って上司に相談したのが吉でした。のちに、無事永住権を手に入れた時は、なんだか金メダルを勝ち取ったような誇らしい気持ちでした。日本の両親からは「日本に帰ってきたら」と言われたのですが、大学も在学中で、帰国するには中途半端な感じがしたので、残ることにしました。フィンランドに残ったのも自分で選んだこと。嫌なことだって生きていればあるけれど、光の方を向いていたら、いつかいいことがあるに違いないと思うのです。

ルーティーンを壊す

友人でもあり、憧れでもある人が周りにたくさんいるのですが、その一人がマッティです。イラストレーターのマッティ・ピックヤムサはいつでもどこでもペンと紙を持っていて、絵を描くことが生きることそのものという感じがします。週に1回ヘルシンキサノマットという新聞にイラストを提供している他にも、ベニアに絵を描いて作品を作ったり、ポートレイトを描いたり、プールに通って絵を描き続けたり、果敢に様々な画風を試みています。作風はどんどん変わっていってもいいのだということを絵で表現し続けてくれて、いつも勇気をもらいます。それは娘が絵を描いている時にも感じることで、失敗や評価を恐れずに描きたいことをただただ描き続けている姿を見ていると、無心になって絵を描くことの大事さを思い出させてくれます。他からどう思われているかなどの評価って、気になってしまいますが、そういうことは一度置き去りにして、今の自分の声に耳を傾けて、変化をし続けていけたらいいなと思うこの頃です。

photo: Katja Hagelstam

郵便はがき

料金受取人払郵便

豊島局承認

3719

差出有効期間
2025年4月30日
まで

1708780

052

東京都豊島区南大塚2-32-4
パイ インターナショナル 行

追加書籍をご注文の場合は以下にご記入ください

小社書籍のご注文は、下記の注文欄をご利用下さい。**宅配便の代引**にてお届けします。代引手数料と送料は、ご注文合計金額（税抜）が5,000円以上の場合は無料、同未満の場合は代引手数料300円（税抜）、送料600円（税抜・全国一律）。乱丁・落丁以外のご返品はお受けしかねますのでご了承ください。

注文書

ご注文書籍名	冊数	お支払額
	冊	円
	冊	円
	冊	円
	冊	円

お届け先は裏面にご記載ください。
（発送日、品切れ商品のご連絡をいたしますので、必ずお電話番号をご記入ください。）

電話やFAX、小社WEBサイトでもご注文を承ります。
https://www.pie.co.jp　TEL：03-3944-3981　FAX：03-5395-4830

ご購入いただいた本のタイトル　　　　　　　　　　　ご記入日：　　　年　　月

●普段どのような媒体をご覧になっていますか？（雑誌名等、具体的に）

雑誌（　　　　　　　　　　　　　　）WEBサイト（　　　　　　　　　　　　　　）

●この本についてのご意見・ご感想をお聞かせください。

●今後、小社より出版をご希望の企画・テーマがございましたら、ぜひお聞かせください。

お客様のご感想を新聞等の広告媒体や、小社Facebook・Twitterに匿名で紹介させていただく場合がございます。不可の場合のみ「いいえ」に○を付けて下さい。	いいえ

性別　　男・女	年齢　　　　歳	ご職業

フリガナ

お名前

ご住所（〒　　　　―　　　　　）　TEL

e-mail

PIEメルマガをご希望の場合は「はい」に○を付けて下さい。　はい

ご記入ありがとうございました。お送りいただいた愛読者カードはアフターサービス・新刊案内・マーケティング資料・今後の企画の参考とさせていただき、それ以外の目的では使用いたしません。
読者カードをお送りいただいた方の中から抽選で粗品をさしあげます。

5752 fin10

社長DJ

2022年秋にフィンランドの出版社から絵本を出版したことがきっかけで、会社が開催するクリスマスパーティーに参加することになりました。社長のパシが入り口で来客を迎え、一人ひとりに握手をして、挨拶してからパーティー会場に入ります。食事や会話をひとしきり楽しんだら、夜はパシのDJタイム。どうやら名物イベントのようで、社長自らがDJを務め、懐かしいディスコミュージックが部屋中に鳴り響き、みな楽しそうに踊っています。60代のパシは長年勤めた会社を退社し、田舎の古い木造建築を改築して、ブックストア＆アーティストレジデンスを始めるのだとか。いつまでも夢を持ち続けるのは素敵なことですね。

仕事は楽しく

ある日突然、仕事の依頼メールが届きました。フィンランドの新聞記事で私のことを知って、興味を持ってくれたのです。子供向けの製品を作ろうとしていて、いずれ日本のマーケットにも進出したいから、是非会って話がしたいとのことでした。ヘルシンキの中心地のデザイン事務所で出会った3名の私より少し年上の男性。よく話を聞くと、それぞれが広告会社、デザイン会社などで本業を持っている方たちで、異分野で経験を積んだ幼少時代の友人たちが集まり、趣味でビジネスをしているのだとか。冗談を交えながら、陽気な雰囲気の中、プロジェクトの話をしました。彼らは、すでにフィンランドのベニア材で作った収納ができるソファを生産していて、話がとんとん拍子に進み、ソファ生地のデザインを提供することになりました。わきあいあいと仕事をする彼らからは「仕事は楽しく！」という姿勢が滲み出ていました。

好きなことを仕事に

ポップでおしゃれなイラストを手がけるサンナ・マンデル。イラストの他にも、Skidiという子供のイベントの企画＆アートディレクションも務めています。３人の子供の母親で、子供の誕生日会などのイベントを演出するのが大好きだというサンナは、まさしく自分の好きなことを形にしています。イラストの仕事も大好きだけど、一人でPCに向かって、絵を描いているのに飽きてしまったというサンナは、数年前、絵本で受賞した賞金を資金にして、子供のカルチャーセンター内に赤ちゃんや子供と一緒に楽しめるカフェ、skidiläを開きました。遊び心溢れるスペースで、愛用者も多かったのですが、コロナ禍で継続が難しくなってしまい、惜しまれながら幕を閉じました。カフェはなくなってしまったものの、今でも年に数回、美術館やミュージックフェスなどで、サンナが手がける子供のイベントが開催されるので、娘と参加するのを楽しみにしています。好きという原動力が情熱になり、そこから生まれ出たものを楽しんでくれる人たちがいるというのは、なんとも幸せなことだなとサンナを見ていて思います。

CASE NO
FINLAND/MESSUT
VOLYM
BRUTTO
FINLAND
Wirkkala
Relief

バランスを取る

先日、陶芸作家のスタジオに行った時のこと。彼は20年前にデザイン事務所を設立し、多忙な日々を送っていたのですが、長時間のデスクワークとバランスを取るため、若い頃にしていた陶芸を再開したのだそうです。夕方や週末に、手を動かしてものづくりに没頭する時間を持つことで、仕事とのバランスを保っているのです。そういった、全く逆のことをして、バランスを取っていくことをVastavoima（逆の力）と呼びます。私の場合、ヘルシンキにいる時には、一人で仕事をしていることが多いので、オフの時には人と会ったり、時には展示を開くことでそのバランスを取っています。夫の場合は、人と関わることが多い仕事なので、オフの時には家族との時間や一人の時間を満喫しています。何事もやりすぎると何らかの支障が出てくるので、その辺りを逆の力でカバーします。

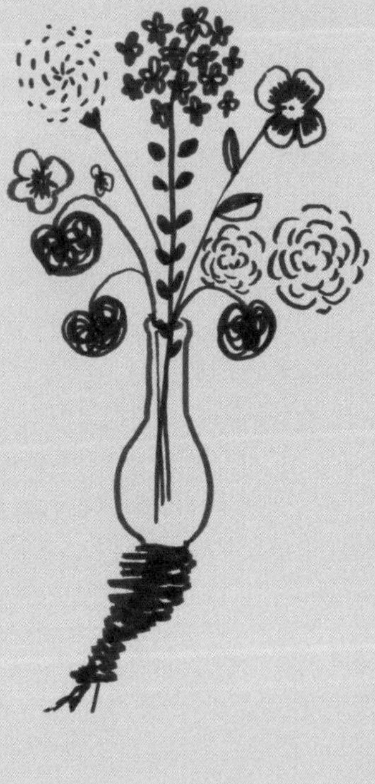

7／人生について思うこと

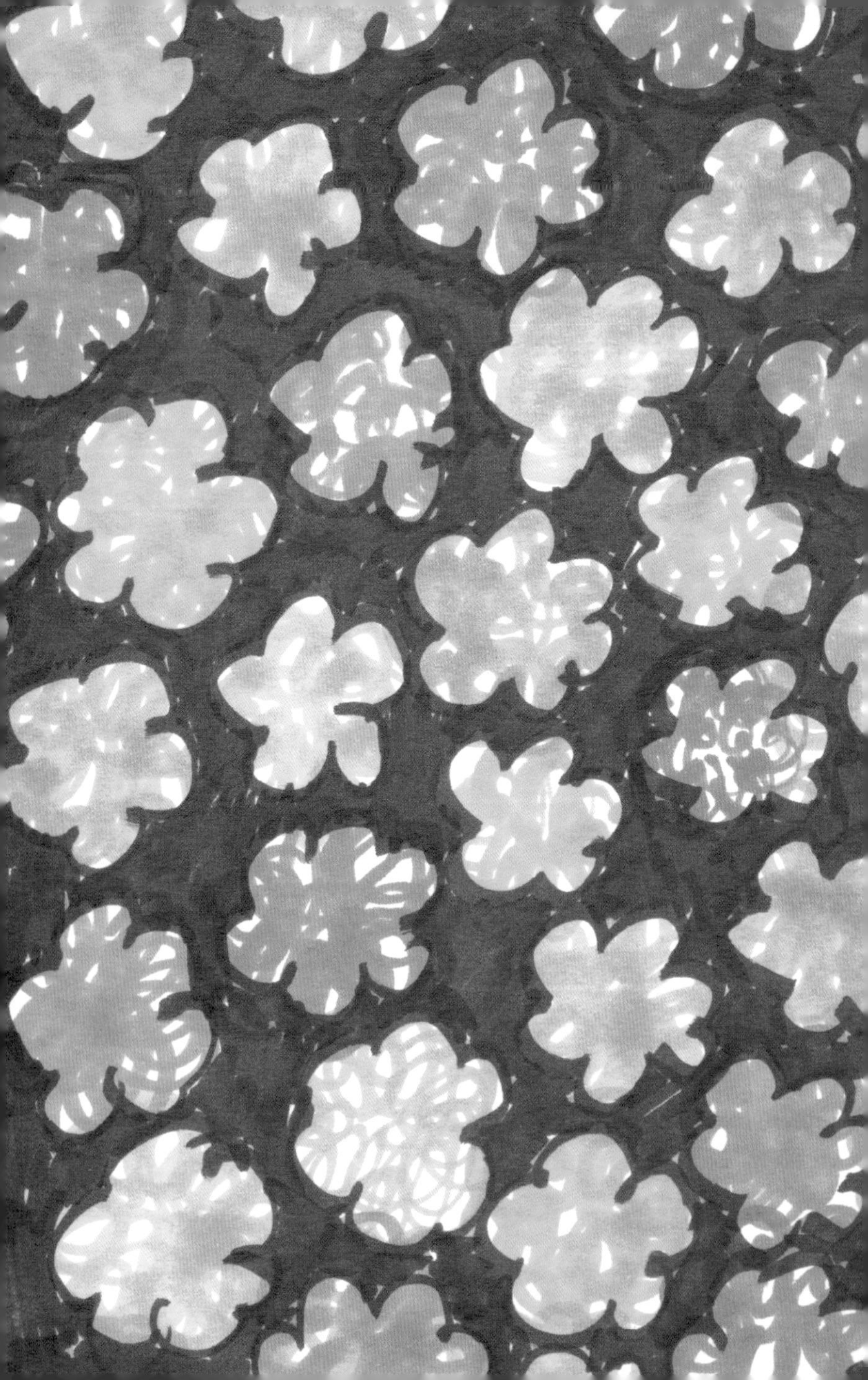

つらい話をする癖

今から10年以上前につらいことがあった時、NYに住んでいた姉が支えになってくれました。しばらくの間、話を聞いてくれた姉がある日、「もうあなたは十分立ち直った。つらい話をするのが癖になっているけれど、そういう話は聞いている相手も暗い気持ちになるもの。そろそろ、その癖を終わりにした方がいい」とはっきり言ってくれました。はっとした私は以来、その話をするのをぴたっとやめました。すると、もっと違うことにフォーカスできるようになったのです。つらい話ばかりしていた時は、その考えが脳を支配しているかのようでした。つらいことがあったら、つらさを感じる時期は必要ですが、十分にその気持ちを味わったら、気持ちを切り替えるのも大事ですね。

大事なものを たくさん持つ

フィンランドの友人とお茶をした時に、幸せの話になり、面白い考え方を教えてくれました。仕事、家族、友人、趣味など、自分にとって大事なことがたくさんあると思います。大事なことは、どれか一点だけに力を注ぎすぎないようにすること。例えば、仕事がうまくいかなかった時には、その他の要素が心のよりどころとなり、自分を支えてくれます。もしも、仕事だけに没頭する日々を送っていたら、仕事がうまくいかなかった時、まるですべてを失ったような気がしてしまい、絶望感から立ち上がるのに時間がかかるかもしれません。何事もほどよくバランスを取りながら日々を過ごしたいなと、仕事一本になってしまいがちな締切前の自分を思い出し、言い聞かせました。

なんでも
味見してごらん

子供が「これなに？食べたくなーい」と初めて食べるものに慎重になることがあります。そんな時は、「なんでも味見してごらん（Aina kannattaa maistaa)」という言葉を大人が子供にかけるのをよく耳にします。この姿勢は食べ物だけではなくて、すべてに通じるなあと思うのです。食べてみないと本当の味はわからない。なんでも、思い切ってやってみると意外な発見があるものです。

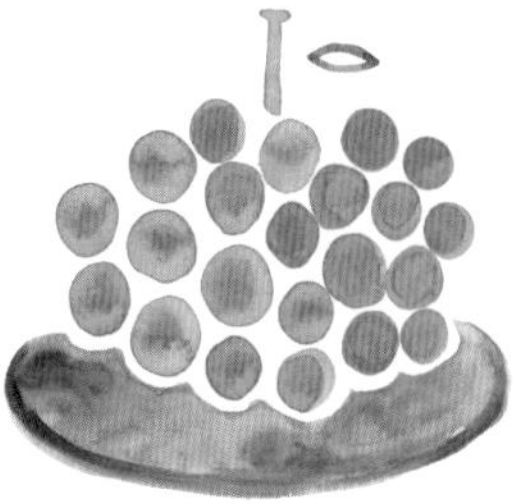

ものは考えよう

人生は予定通りにいかないことだらけ。スキー休暇を利用して、ポルトガル旅行にでかけました。最後のランチは、港のレストランで魚介類を食べることにしました。ぱぱっと食べて、空港に向かう予定が、支払いの機械の調子が悪いとのことで、随分長い間待たされることに。しかも、航空会社から風向きのため、飛行機の出発を15分早めるという連絡が入り、慌てて空港に向かうも、事故による大渋滞に巻き込まれ、全然前に進みません。全く飛行機に間に合わない様子なので、もう途中からあきらめモードになりました。飛行場で翌日のフライトチケットを買い、一泊分のホテルを予約し、リスボンにタクシーで戻ることに。タクシーも1台目にはぼられ、２台目のタクシーはホテルの近くまでは通行止めで行けないと途中で降ろされることに。娘も疲れて、歩けない〜と駄々

をこねる始末。せっかくなので、行ってみたかったナチュラルワインのお店に行こうと向かうも、貸切ということで入れず。その後、行こうと思ったレストランは閉まっていたり、満員だったり。やっと辿り着いた日本食料理屋さんで、なすの揚げ出しのお通しに心が潤いました。娘は今回の旅行で一番おいしいご飯だと、ぱくぱく食べ、初めて食べた納豆巻きを大層気に入ったようで、「これを食べるために神様がもう1日のばしてくれたんだね」と一言。落ち込み気味だった夫と私もその一言でなんだか吹っ切れました。ドミノ倒しのように、うまくいかないことが続く時ってありますが、ほんの小さなことでも楽しみを見つけられたら、流れが変わります。ものは考えようだと娘に教わりました。

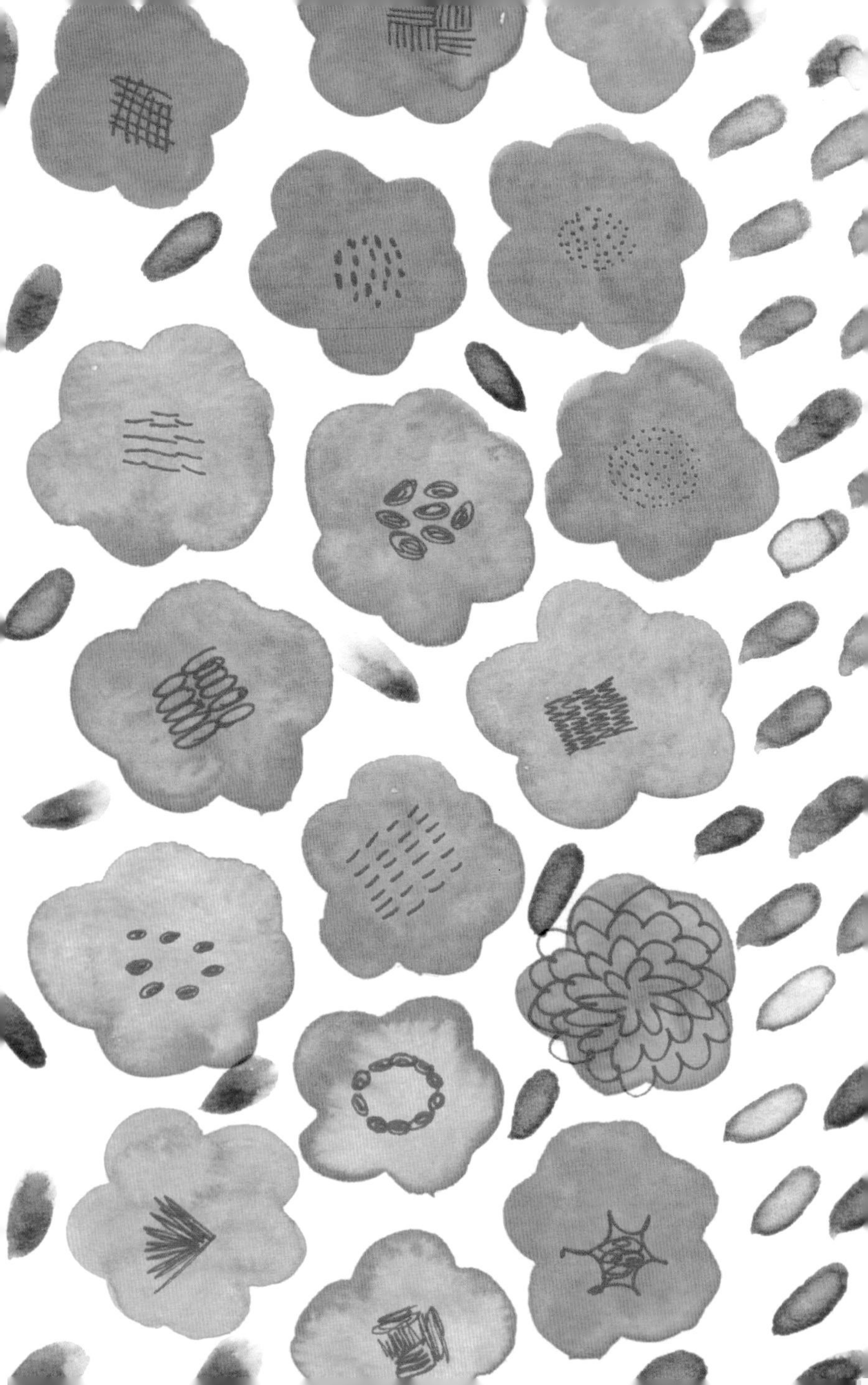

目の前のことをやる

フィンランドに移住した時、英語が話せたら何かしら仕事は見つかるだろうと思っていたのですが、それは大きな間違いでした。いずれは美大に入りたいと思っていたのですが、仕事が見つからないので、美大を受験することに決め、徹底的にフィンランド語を集中して勉強することに。1年暮らせるくらいの貯金はしてはいたのですが、1年なんてあっという間！のんびりしてはいられません。早く経済的にも一人前になりたくて、語学学校に通い、受験勉強並みに勉強し、カフェの皿洗いをしながら会話に磨きをかけました。すると、今覚えるべき単語というのが自然とわかるようになったのです。よく耳にするなあと思う単語をマスターすると、次なる単語が浮上します。それを繰り返していくうちに、単語力がアップしていきました。暗記したらすぐに忘れる受験勉強と違って、暮らしながら日常で使う言葉から覚えていったので、着実に身についていく感覚がありました。目の前のことに切実に取り組んでいれば、たとえ亀のような速度に感じられても、気がついたら結構遠くまで進んでいるものなのかもしれません。

期待しない

夫のユッシは2023年で50歳になります。フィンランドでは、30、40、50、60歳など、キリのよい年齢になると、盛大なパーティーを開いたり、同級生で旅に出かけたり、何か特別なイベントをします。夫にどこか行ってみたいところはあるのかと聞いても、「うーん」とぱっとしない返事。よい意味で、今あることに感謝していて、何も特別なことを望んでいないのです。期待も野望もあまりないので、がっかりすることもあまりありません。私はあれもこれも興味があるし、行ってみたい場所もたくさんあるし、好奇心いっぱい。夫のようにはなかなかなれませんが、遠くの獲物ばかりを追い求めるのではなく、足元にある小さな喜びを発見できる心は見習いたいなと思うのです。

娘への手紙

娘の誕生日の約1週間前に、プレスクールの先生からメールが届きました。プレスクールでは、誕生日会を「ヒーローの日」と呼んで、誕生日を迎える子と先生が一緒にアクティビティを考えます。娘はぬいぐるみのビューティーコンテストを開催するのだそうで、生徒たちの投票で優勝者を決め、優勝者にはトロフィーが贈られるとのこと。メールの内容は、トロフィーをお家で作ってきてくださいというお願いでした。そして、もう一つのお願いは、娘の生い立ちに関する手紙を書いて当日までにメールで送るか、手紙を持参してくださいというもの。手紙は当日、先生がクラスメート全員の前で読むのだそうで、赤ちゃんや小さかった頃の思い出、名前の由来、あいらが好きなこと、好きじゃないこと、素敵な思い出や面白い思い出などなど、自由にあなたたちの、あいららしい手紙を書いてくださいとあるのです。なんだか、結婚式の時に娘へ向けて手紙を読むシーンが頭によぎり、考えるだけで、涙がこみあげてきてしまいました。自分で考えたアクティビティをみんなで楽しんで、その子のこれまでの人生の物語が書いてある手紙をみんなで読む。なんて心のこもった会なのだろうと胸が熱くなりました。誕生日に手紙を送るというのも素敵な習慣ですね。

人のせいにしない

何かうまくいかないことがあると、「ママのせいだ！」とよく娘が口にする時期がありました。なんでも人のせいにする人を知っています。過保護な親が「あなたは悪くない」と守り続けた結果、その人は何事も人のせいにして、自分の尊厳を守ろうと必死でした。人のせいにしてしまうのは楽ですが、学びがありません。自分を責める必要もないですが、生きていくことは、起こってしまったことは真摯に受け止めて、次からは気をつけるという学びの連続なんだと思います。どんな風にしたら娘に伝わるのかわかりませんが、自分がなるべくそのように生きる努力をしたら、いつか伝わるのかもしれません。素直に「ごめんね、これから気をつけるね」と言える人になりたいなと思います。

自分の気持ちに正直

娘が今年の８月から小学校に上がるのですが、居住地区にある小学校の他、音楽教育に力を入れた小学校、授業がフィンランド語以外で行われる学校など、色々と選択肢があります。周りの友人たちにも色々と意見を聞いてみた上で、個人的には、少人数教育の音楽教育の小学校に行ったら、人生がより豊かになってよさそうだなあと思っていました。娘と何度か話をしましたが、行きたくないの一点張り。今通っているプレスクールのお友達と同じ小学校に行きたいのだと言います。娘は初めてのことに対して、用心深いところがあるので、音楽学校にも一度入ってしまったら、楽しめるんじゃないかなと思い、何回か勧めてみましたが、娘の意志はまるで石のように固いので、その意志を尊重することにしました。これからも娘によさそうだなと思ったことはどんどん提案したいと思いますが、選ぶのは娘。こうやって選択を繰り返しながら、唯一無二の道ができていくんだなあとしみじみしてきました。娘の選んだ道をそっとサポートするのが私たち親の役目です。

HELSINKI

おしつけちゃだめ

ある日、保育園から「4月末にタレントショーが開催！参加者募集」というメールが、動画のリンクと共に送られてきました。それぞれ参加希望者には2分の時間が与えられ、自分たちで考えた出し物をするようです。リンクの動画を見てみると、男性の先生が面白おかしく仮装して、歌ったり、はちゃめちゃな手品をしたり、ピアノを弾いたりして、娘も大笑い。娘の友人のお母さんからグループメッセージがあり、仲良し３人組でダンスをしないかとお誘いがありました。「私がコーチをやるわよ！」とお母さんも大はりきり。娘に聞いたところ、「私はいいや」と消極的な答えが返ってきました。翌日、参加に乗り気の友達がうちに遊びにきたので、「タレントショー、あいらはまだ乗り気じゃないみたいだけど、気が変わってやりたくなるといいけどね」と彼女に話すと、「Ei voi pakottaa. おしつけちゃだめだよ」との返事が。子供は先生や親など、周りの大人が言っていることを吸収して、言葉にする傾向がありますが、そういえば、「おしつけちゃだめ」は時折、子供が言っているのを耳にするなあと気がつきました。自分がよかれと思って勧めても、やはり本人の意志があるかどうかってとても大切なことです。子供から教わることがたくさんあるなあと思う日々です。

流れに乗る

日本の大学を卒業した後、沖縄で３年間教員の仕事をしました。いずれは留学して、アートを学びたいと思っていたので、貯金をしながら、自分なりにどんなことを勉強しようか、興味のある分野の人に会ったり、通信教育を受けたりして方法を模索していました。13歳の時にホームステイをしたフィンランドもいいのではないかと考え始めた頃に、フィンランド人の旧友が沖縄に遊びに来ることになり、色々と留学情報を教えてくれました。なぜか、その頃には沖縄の桜坂劇場という小さな映画館で、フィンランド映画特集が組まれていたり、フィンランドの高校に交換留学をしていたニュージーランド人と親しくなったり、沖縄にいながらフィンランド行きのサインのようなものがちらほら見えていました。今振り返ると、そういう流れの中にいたのだと思います。実際、移住してみなければ、わからなかったことばかりでしたが、あの時に直感に従ってよかった。人生で何度かはそういった大きな流れというのがやってくるような気がします。乗るか乗らないかは自分次第。どこに流れ着くかも自分次第。人生は計画通りにいかないからこそ、面白いものですね。

photo: Pauliina Mäkelä

とりあえず
一歩踏み出す

アーティストのイェンニは10年ほど前から、グラフィックデザイナーからアーティストに徐々に転向しました。Napa booksという出版社を作ったり、フリップブックの国際コンペを開催したりと活動を続けた彼女ですが、作品を作ることに集中することに決めたあとはスパッと出版社を閉めました。子育てをしながら、大学院に入り直してファインアートを学び、今ではアーティストとして精力的に作品を作り、数々の展示に参加しています。彼女が友達と立ち上げたserious printers（シリアスプリンターズ）という、シルクスクリーンのアーティストグループで一緒に活動しているのですが、彼女の行動力や決断力にはいつも刺激を受けます。やってみたい、そして、面白そうと思ったら、とりあえず一歩踏み出すって本当に大事なことなんだと彼女の歩みを見ていて思うのです。

心にこびりつく

2022年秋、最愛の姉が旅立ちました。肺がんを患ったのですが、発見された時にはステージ4。それでも、姉は最後まで希望を失わず、命を生き抜きました。10歳年上だった姉は中学1年の時にコロラドにホームステイに行き、アメリカの高校と大学に進学しました。姉の背中を見て育った私は、いつか自分も海外に行ってみたいと憧れを抱いていたものです。人生で一番影響をもらった人でした。いつどこにいても、温かく、時には厳しく見守っていてくれた姉。こんなに急に亡くなることなんて、楽観的な私は想像もしたことがなく、深い悲しみに沈みました。お葬式を終えて、フィンランドに戻ってきてから、娘に姉が旅立ったことを話すことにしました。「ママのお姉ちゃんが天国に行っちゃったんだ」とシンプルに伝えると、娘はじーっと私を見て、「ママ、大丈夫。ようこは空から見守ってるから。小さなようこがままの心の中にこびりついているから」と言うのです。どうしてこんなにぴったりの表現を知っているのだろうと、驚きと感動で胸がいっぱいになりました。今でも、ふと一人になった時に、姉を思い出し、悲しみに胸が押しつぶされそうになりますが、この言葉を思い出し、「そうだな、ねねは心にこびりついているな」と落ち着きを取り戻しています。

ブルーの世界で気づいたこと

初めて、素潜りをした時の感動を今でも覚えています。学生時代、琉球大で勉強していた友人を訪れて沖縄を訪問した時のことでした。急なごつごつの岩道を下り、ターコイズブルーの海に入りました。魚になった気分で海底に向かって泳いだのですが、海の真ん中で、どこまでも続く美しいブルーの世界に包まれた時に、今まで感じたことのない「個」というものを強烈に感じました。圧倒的な自然の中での自分という小さな存在。今、息を止めたら死んでしまう小さな命。でも、自分の意志で命を続けていくんだ。そう思って、思いっきり足で水を蹴って、水面に息を吸いにいきました。みな、一つの体を与えられて、自分の意志で生きている。与えられた命はギフト。大事に生きたいものです。

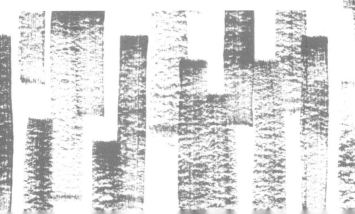

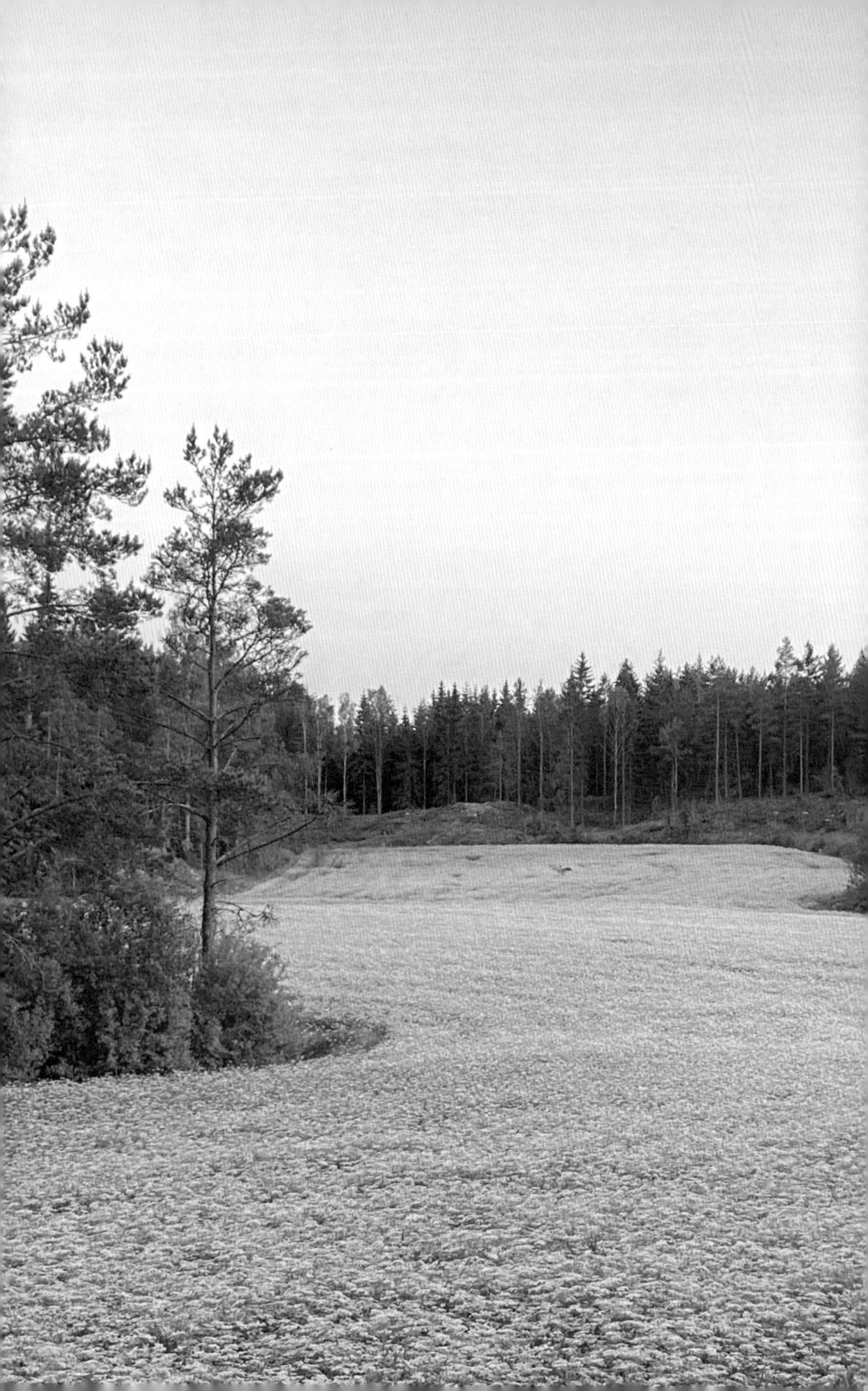

当たり前は一つじゃない

中学2年でフィンランドにホームステイに1ヶ月滞在した経験は、その後の人生に大きな影響を与えました。英語もフィンランド語もわからなかったのですが、言葉も人種も文化も何もかもが目新しく、もっともっと知りたいと思いました。日本の学校では、仲間外れにあったり、登校拒否の時期もあったり、なかなか楽しくないこともありましたが、世界は広いということを肌で感じられたことで、心が救われました。ある国では当たり前とされていることが、場所を変えれば当たり前でなくなることを若い頃から知っていれば、柔軟な心を大人になっても持ち続けられると思うのです。

オープンであること

友人がある日、自分の父親は生物学的な父親ではなく、自分の命が第三者から精子提供を受けて、人工授精から生まれたということを教えてくれました。当時はまだ人工授精は実験段階で、規制がなかったことからたくさんの異母兄弟がいることがDNAテストを通してわかっているのだそうです。彼女にとって、両親が約40年間真実を子供に隠してきたことが一番つらくて、人を信じられない気持ちになったといい、彼女は子供たちにもしっかり事実を伝えるようにしています。両親は娘のためにと思って隠してきたことが、娘にとっては大きな傷となりました。もちろん、生きていれば、人は間違いを起こすこともありますし、倫理観も価値観も時代と共に変化していきます。問題やタブーをなくし、オープンに話せる環境づくりが、よりよい社会作りの一歩なのだということを彼女に教わりました。

感謝の気持ち

ユッシと出会って間もない頃、ヘルシンキから300キロ離れた街にベッドを一緒に取りに行ってくれました。その日は吹雪でしたが、ラップランド出身のユッシの落ち着いた運転には安心したのを覚えています。幼少時代の話になった時、小学校に上がる前に母を亡くしたことを教えてくれました。当時、小学校の初日はお母さんと登校する生徒が多かったようなのですが、おじいちゃんが来てくれたのだそう。夫は「おじいちゃんはかっこいいから、みんなうらやましがったんだ」と言ったのです。「ぼくだけお母さんがいなかったんだ」と言うのかなと勝手に想像してしまった私は恥ずかしく思うと同時に、なんて素晴らしい考え方なんだろうと心を揺さぶられました。自分は周りの人に恵まれて育ったと話すユッシ。今あることに感謝できる人に私もなりたいと思いました。

今
ここにあること

ふと見ていたテレビ番組で、ベテランの絵本作家さんがインタビューを受けていました。「子育てで大事なことは？」という質問に、「läsnäolo（ここにあること）」と答えていて、本当にそうだなあと同感したのでした。スマホが日常に浸透してからというもの、ついついそちらに気を取られてしまい、心ここにあらずの状態になりがちです。意識的に、スマホやアイパッドに触れずに、今ここにあることを大切にする時間を持つことが必要です。それぞれの家庭でルールがあるとは思いますが、我が家ではご飯の時、そして夜20時以降は娘にはアニメなどを見せないようにしています。うっかり充電切れという状況も、意外と貴重な時間が過ごせるきっかけになるかもしれませんね。

8／フィンランド流の美意識と思想

古いものを大事にする

どの家にも、おばあちゃんから譲られた家具や器があったりします。娘が生まれた時には、夫が赤ちゃんの頃に寝ていたという藤のベビーベッドを夫の姉がわざわざ持ってきてくれました。かなりのビンテージなので、少し傷んでいる部分もありましたが、布をかけたりしたら、まだまだ使えます。世代を超えて使われることを前提に作られたものには、賢者のような佇まいが感じられます。なんでも新調するのではなく、長い間暮らしに寄り添ってくれるものを取り入れることが、地球と共存するためにも理にかなっていると思います。

居心地のよい家づくり

私たち家族は家が大好き。娘も家で絵を描いたり、レゴで遊んだり、ごっこ遊びをしたり、できたらずーっと家にいたいようです。冬が長い国なので、家は人々の憩いの場。人口の割に、フィンランドではインテリア雑誌の数がとても多く、この国のインテリアへの関心が高いことがわかります。お家にお呼ばれすることも多いのですが、流行を追うのではなく、好きなものに囲まれているインテリアは、暮らす人の人となりが表れているようです。我が家は1950年代の古い家なのですが、自分たちの好みに合わせてリノベーションしました。住みながら、必要に合わせて、備え付け家具を増やしたり、いらなくなったアイテムをリサイクルセンターに出したりして、家も一緒に成長している感じです。リビングには、旅先で買ってきたものや、娘の描いた絵、お気に入りのアート作品などが飾ってあります。好きなものに囲まれて暮らすことの豊かさを長い冬が教えてくれました。

ものの循環

娘の誕生日が近づいています。最近はシルバニアファミリーがお気に入りのようで、お家がほしいとのリクエストがありました。オンラインで調べたところ、フィンランドの中古サイトに質のよいものがたくさん売られていました。中古だと、新品のお家を一つ買う値段で、動物ファミリーや家具やあれこれついてきます。こんな良品が手に入るならば、わざわざ新品で買わなくてもいいのかもしれないとふと思い、娘に「新しいのだとお家だけだけど、誰かが使ったものだと、動物たちもついてくるけれど、どちらがいい？」と聞くと、「動物たちがついてくる方！」と迷わず答えました。娘は普段着るものも、セカンドハンドをよく活用しているので、新品へのこだわりがあまりありません。子供の興味は成長過程でめまぐるしく変わっていくものなので、遊ぶおもちゃも自然と変化していくもの。ものに気持ちがあるならば、誰かが大事に使っていた質のよいおもちゃは、時を超えて色々な子供に遊んでもらえて、それこそ幸せな一生だなと、久々に映画「トイストーリー」が観たくなりました。できるだけ、自分も誰かに長く使ってもらえるような寿命が長いものを作りたいものだと改めて思ったのでした。

暮らしに
アートを取り入れる

アートは暮らしを豊かにしてくれるもの。美しいものを見て暮らすことは、心にいい影響を与えてくれます。特に太陽の姿が見られない冬は、家は憩いの場。自分の好きなアートを取り入れて、心安らげる空間にします。コロナ禍で家時間が増え、旅行に行く出費も減ったことから、その資金で家を自分好みにする人が増え、アート作品の売り上げが伸びたという話を耳にしました。頻繁に展示会に足を運び、好きなアーティストを見つけると、直接アーティストやギャラリーに連絡を取って、オリジナル作品をオーダーしている友人もいます。我が家では、リビングに好きなものを飾る棚があるので、誕生日やクリスマスなどに、少しずつアート作品や工芸品を購入し、棚に飾っています。手が出ない値段の作品を無理に買うこともないのです。娘の作ったものも私にとっては、立派なアート作品。娘の描いた絵や美術館で販売しているポスターを額に入れて飾るだけでも、雰囲気がぱっと変わります。アートは美術館だけで見るのではなく、自分の家にも取り入れて愛でるという習慣をフィンランドで学びました。

あいまいな性別

2022年にフィンランドで出版したきつねが主人公の絵本を海外の出版社に営業することになり、英訳する必要がありました。その際に、きつねとみみずの性別は何かと聞かれ、はてどうしたもんだろうと作家のレーッタと話し合いました。フィンランド語では、第三者はhän（ハン）というのですが、性別は関係ありません。「その人」という感じです。私もイラストを描く時に性別を意識しなかったので、このまま性別をニュートラルのままに保ちたいという気持ちがありましたが、翻訳者の感覚によると、それでは不自然なのだそうで、結局、きつねもみみずもheにすることにしました。ジェンダーニュートラルな三人称は、男女平等を大事にするフィンランドの精神が表れているような気がします。

エネルギー補充の場

もうかれこれ10年以上前のこと。前夫と別居している時、心が弱り気味だったこともあり、カウンセラーを紹介してもらうため、内科の先生と面談しました。あれこれ事情を一部始終話すと、「結婚はエネルギーを奪い合うためのものではなく、お互いにエネルギーを与え合い、高め合うためのものなんだよ」と言われ、その言葉が心のもやもやをさーっと取り払ってくれました。結婚もそうですが、家庭も全くその通りですし、ましてや人間関係においても、大事な視点だなと思いました。生きていくためのエネルギーを補充する巣のような家庭にしていきたいものです。そして、エネルギーをもらうだけじゃなく、与えられるような人にちょっとずつなれたらいいなと思うのです。

血の繋がりのない家族

娘の幼馴染に弟が生まれ、私たち夫婦はその子のゴッドペアレンツに任名されました。ゴッドペアレンツとは、血の繋がりはないけれど、その子の人生を見守る存在です。元々はキリスト教の習慣で洗礼式にゴッドペアレンツを任名するのですが、現在は宗教に関係なく、その習慣だけ取り入れている人も多いです。任名された時には、私たちを信頼してくれてうれしかったのと同時に、よき人間でいなくちゃと、背筋がぴんとするような気持ちがしました。ユッシは若い頃に両親を亡くしたため、私たちの娘には、フィンランドに血の繋がった祖父母がいません。その代わり、おばあちゃん代わりやおじいちゃん代わり、ゴッドマザーやゴッドファーザーがいます。血の繋がりは関係なく、娘の成長をずっと見守ってくれる人がたくさんいることはとてもありがたいことで、豊かな繋がりだと思います。親戚ほどしがらみがなく、ほどよい距離感をもって、長く付き合っていける人間関係はとても心地がよく、日本にも広まったらいいなと思う習慣です。

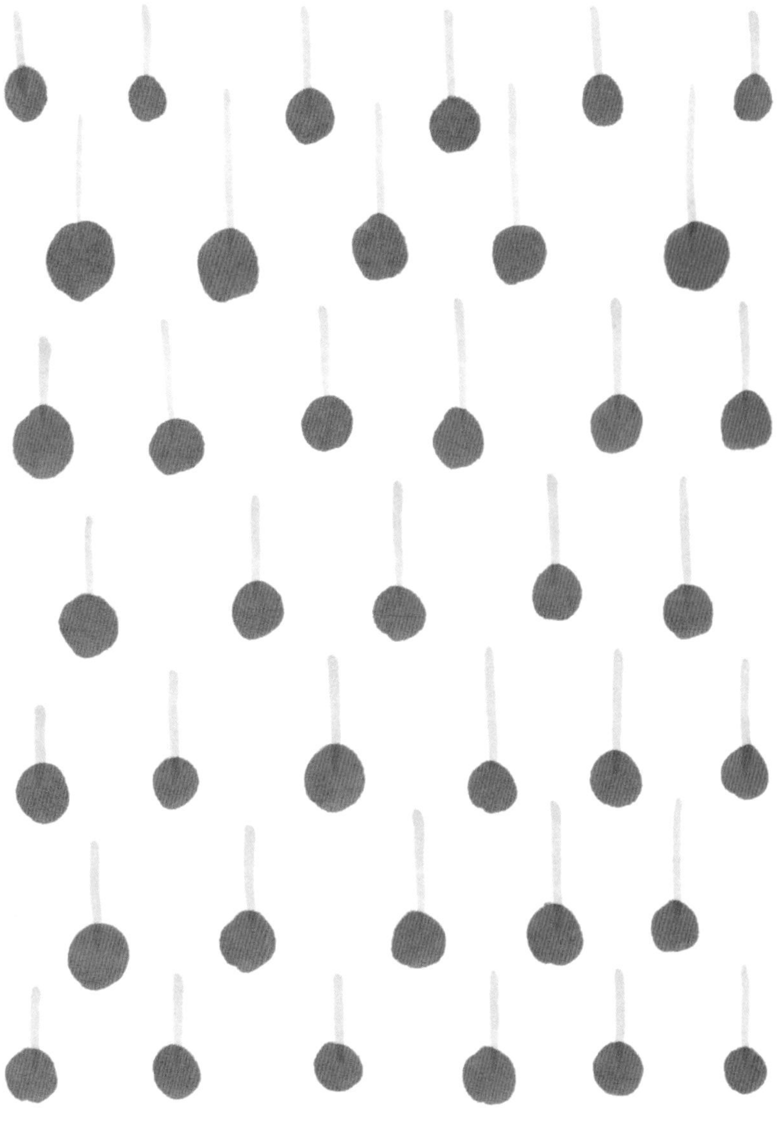

KENTAURI

毎日違う ご飯でなくてもいい

フィンランドに来て驚いたのが、どの家庭にもオーブンがあること。我が家も週に1回はオーブン料理を作ります。忙しい平日の料理には、大量に作れて、手間も少ないオーブン料理がぴったりです。根菜類を適当にカットして、オリーブオイルをふりかけて、お好みでハーブと塩で味付けして、オーブンに入れるだけで、おいしいローストベジタブルができますし、ユッシが作るマカロニラーティッコという牛乳、ひき肉、マカロニが入った料理は娘の大好物。大量に作って、翌日も食べることが多いです。娘は「昨日とおんなじー」なんて言うこともありますが、ご飯はご飯。毎日違うご飯でなくてもいいのは、より家事の負担を少なく平日を過ごすサバイバル術です。

あえて難しい方を選ぶ

小学校の入学を申し込む際に、外国語を選ぶ必要があります。1年生で外国語教育が始まるのですが、この学区ではフランス語か英語を選ぶそうです。プレスクールから帰ってきた娘が、「英語は誰でも話せるようになるから、より難しいフランス語からやった方がいいんだって」と言うのです。確かに、多くのフィンランド人が英語を難なく話します。テレビや映画から学ぶから、誰でも話せるようになると口々に言うのです。難しい方を先にやるというチャレンジ精神が根付いているのも、さすがシスの国だなと納得。難しいことは後回しにしがちですが、えいっと先に片付けてしまう勇気を持つのも大事だなと身が引き締まりました。

サウナ入門

移住して間もない頃、海辺にある公共サウナに行きました。その日はスペイン語を話す留学生が大勢いて、サウナの中が大変にぎわっていました。気がつくと、年配の女性が覚悟を決めた様子で、サウナストーブに近づいたと思ったら、ホースでサウナの石に水をジャーっとかけました。サウナは蒸気で真っ白になり、熱風に包み込まれました。「ぎゃ――――」と、スペイン語系の学生たちがサウナを飛び出し、サウナに残ったのは4名程度。私は一部始終に度肝を抜かれ、その場から逃げ遅れました。「やれやれ、これでちょっとは静かになったわ」とおばさんは捨て台詞を吐いて、ベンチに座りました。サウナは静かに楽しむのが、フィンランドの流儀だということを熱風に教わりました。それにしても、あのちょっと強引な荒技はあれっきり一度も見たことはありません。

気楽な
夫婦別姓

日本では夫婦別姓が認められていませんが、国際結婚をした場合には、苗字を変えないという選択もできます。私は二度結婚しましたが、両方とも姓を変えませんでした。好きな人の苗字に変えることへの憧れを持ったことが一度もないし、苗字を変えることはなんだか私にとっては不自然で不要のことに思えたからです。パスポートを変更する手間もなかったし、離婚した時だって名前は変わらなかったので、その点では楽でした。フィンランドでは、娘と苗字が違いますが、そのことで一度たりとも娘との繋がりが希薄だなんて思ったことはこれっぽっちもありません。私は生まれ持ってつけられた島塚という名前が自分にとってはしっくりきていたので、このままでよかったなと思います。ただ、ユッシの苗字が島塚よりもぴったりくるようなものだったら、変えていたかもしれません。フィンランドでは、結婚する時に二人揃って新しい苗字に変えることもできるそうです。それくらい自由な発想もいいですね。

ポジティブな謙虚さ

フィンランドで出会った人の多くが、人生で一度や二度は海外留学や長期滞在を経験しています。フィンランドは小さい国だから、海外に出たいという好奇心が自然と芽生えるようです。海外に出ると、今まで気がつかなかった母国のよさや改善点が見えてくるのだそう。新たに培った価値観が新たな流れを生み出して、社会が多様化していきます。英語がどうして話せるのという質問にも、「小さい国だから、英語くらい話せるようにならないと」という返答が返ってきます。モチベーションの根底にある「小さい国だから」という謙虚な気持ちが、まっすぐポジティブな行動につながっていて、風通しがいいなと思うのです。

おまけのレシピ

シナモンロールの作り方（P48-49）

材料（20～30個分）

牛乳＝500㎖
ドライイースト＝22g（生イーストなら50g）
砂糖＝200g
塩＝小さじ1
カルダモン＝大さじ1（くだいておく）
卵＝1個
強力粉＝1kg
無塩バター＝150～200g（室温に戻しておく）

四角に広げたシナモンロールの生地の上にかけるもの
砂糖＝100g
無塩バター＝100g
シナモン＝大さじ2

シナモンロールのつやだし
卵＝1個
塩＝少々
パールシュガー＝適量

あると便利な道具＝スケッパー（なければナイフ）、めん棒、ハケ

1

全ての材料を室温に戻す。牛乳を42度に温める。常温に戻した卵、砂糖、カルダモンと塩を入れて、混ぜる。

2

このあと布をかけて、暖かいところで2倍くらいの大きさになるまで発酵させます（40分～2時間）

別のボウルに強力粉とドライイーストを入れたら1を入れ、手で混ぜる。仕上げにバターを混ぜる。生地がボウルから簡単にはがれるぐらいになるまで均等に混ぜる。

3

発酵した生地の空気を抜くように混ぜて、二つのかたまりに分ける。

4

生地をめん棒で30cm×60cmくらいの長方形にのばす。バター（半分の量）を生地の上にのばす。その上に、半分量の砂糖とシナモンをふりかける。

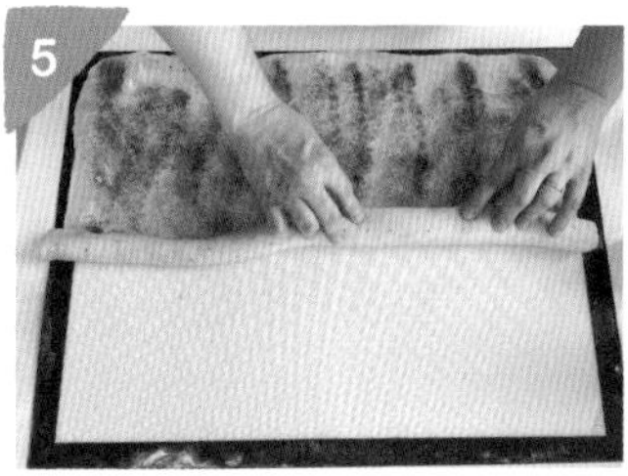

長い辺の端から、きつめに巻いていく。巻き終わったら、ロールの端っこは下に向ける。

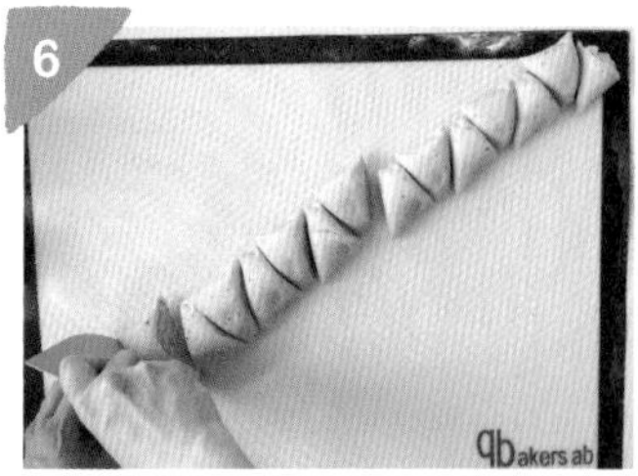

一つひとつが台形になるように、ハの文字のようにカットしていく。大きさはお好みで。1本のロールから10〜15個くらいできる。

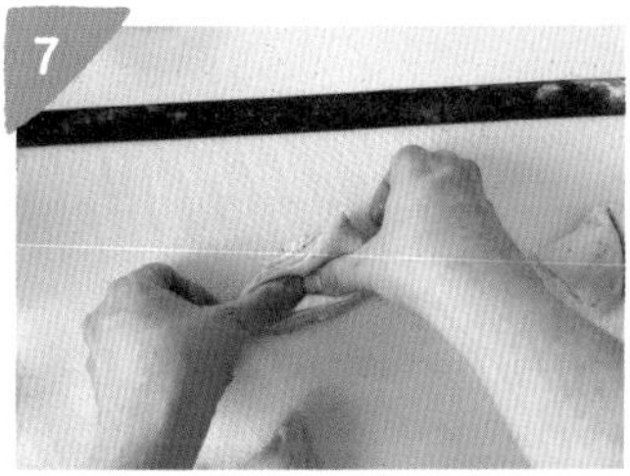

短い辺を上にして、親指を重ねるように下までぐいっと押す。端をやさしくつまむようにして、形を整える。

天板にベーキングペーパーを敷いて、その上にシナモンロールを並べる。

オーブンによって
火力が違うので、
途中で様子を見ながら！

卵と塩を混ぜたものを、ハケを使ってシナモンロールの表面に塗っていく。パールシュガーをひとつまみずつかける。225度に熱したオーブンに天板を入れる。10〜15分ほど焼く。

Valmis!
できあがり！

Herkullisia pullahetkiä!
おいしいシナモンロールを召し上がれ！

島塚絵里

フィンランド在住のテキスタイルデザイナー、イラストレーター。1児の母。津田塾大学を卒業後、沖縄で英語教員として働く。2007年フィンランドに移住し、アアルト大学でテキスタイルデザインを学び、マリメッコ社でテクニカルデザイナーとして勤務。2014年より独立し、国内外の企業にデザインを提供する他、CMの衣装、宮古島のHotel Locusのテキスタイルデザインを担当。森のテキスタイルシリーズなど、暮らしを楽しくするオリジナルプロダクトをプロデュース。『北欧フィンランド配色ブック』（玄光社）、『フィンランドで気づいた小さな幸せ365日』（パイ インターナショナル）など、フィンランドのデザインや暮らしにまつわる本も書いている。初の絵本、『Kettu ja hiljaisuus（きつねと静けさ）』（Otava）をフィンランドで出版。

www.erishimatsuka.com　instagram: erishimatsuka

自分らしく生きる
フィンランドが教えてくれた100の大切なこと

2023年6月8日 初版第1刷発行
2024年5月9日　　第3刷発行

著者　島塚絵里
デザイン　セキユリヲ（ea）
写真・イラスト　島塚絵里
校正　鷗来堂
編集　高橋かおる

発行人　三芳寛要
発行元　株式会社 パイ インターナショナル
〒170-0005　東京都豊島区南大塚2-32-4
TEL 03-3944-3981　FAX 03-5395-4830
sales@pie.co.jp

印刷・製本　シナノ印刷株式会社

ISBN978-4-7562-5752-9 C0077
Printed in Japan